医学传播学

理论与实践

主　编　◎　王双苗

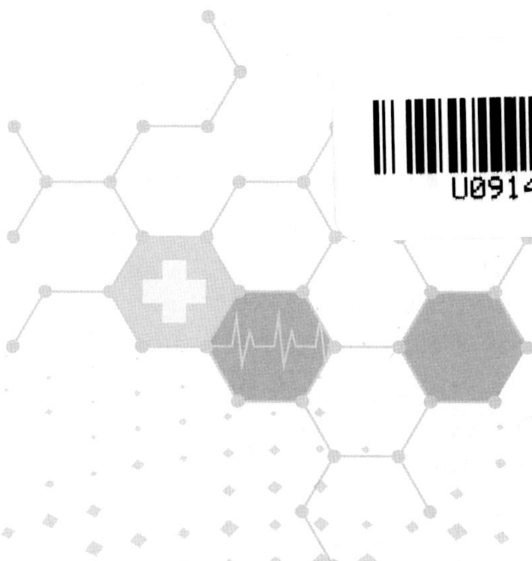

人民卫生出版社
·北　京·

图书在版编目（CIP）数据

医学传播学理论与实践 / 王双苗主编．—北京：人民卫生出版社，2022.11（2025.5 重印）

ISBN 978-7-117-33700-7

Ⅰ. ①医… Ⅱ. ①王… Ⅲ. ①医学—传播学—医学院校—教材 Ⅳ. ①R-05

中国版本图书馆 CIP 数据核字（2022）第 183537 号

人卫智网	www.ipmph.com	医学教育、学术、考试、健康，购书智慧智能综合服务平台
人卫官网	www.pmph.com	人卫官方资讯发布平台

医学传播学理论与实践

Yixue Chuanboxue Lilun yu Shijian

主　　编：王双苗

出版发行：人民卫生出版社（中继线 010-59780011）

地　　址：北京市朝阳区潘家园南里 19 号

邮　　编：100021

E - mail：pmph @ pmph.com

购书热线：010-59787592　010-59787584　010-65264830

印　　刷：北京顶佳世纪印刷有限公司

经　　销：新华书店

开　　本：710 × 1000　1/16　　印张：11

字　　数：186 千字

版　　次：2022 年 11 月第 1 版

印　　次：2025 年 5 月第 2 次印刷

标准书号：ISBN 978-7-117-33700-7

定　　价：39.00 元

打击盗版举报电话：010-59787491　E-mail：WQ @ pmph.com

质量问题联系电话：010-59787234　E-mail：zhiliang @ pmph.com

数字融合服务电话：4001118166　E-mail：zengzhi @ pmph.com

编 者 名 单

主　编　王双苗

副主编　陈　娟　陈　榆　陈欣欣

编　者（按姓氏笔画排序）

王淑斐　卢泽锋　叶曼纯　叶斯阳　刘　甜　李文森
李思娜　李靖雯　佟　琳　张　茜　阿里·特里斯坦（荷兰）
陈　驹　陈小嫦　陈艳舒　林　颢　赵欣羽　郭　蕾
唐铭聪　陶妍如　梁翠翠　魏　路

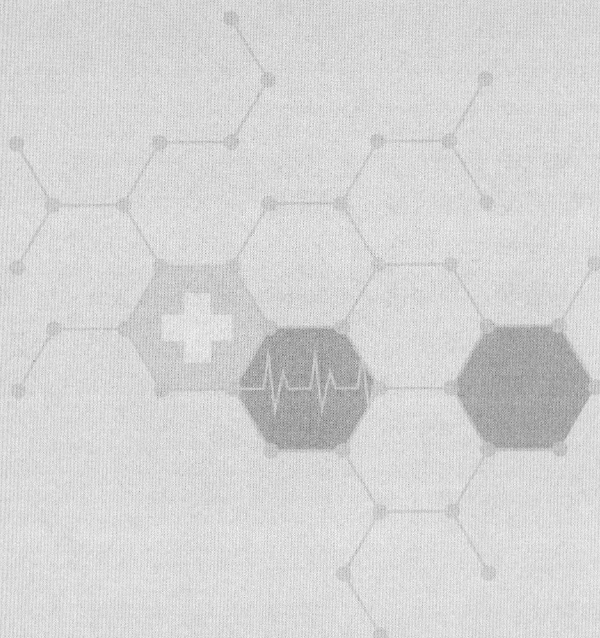

前　言

医学传播学是一门研究医学信息传播、沟通、科普等相关的一切活动的新兴学科，交叉融合了医学、传播学、心理学、管理学等多个领域。最早是由广东医科大学于 2017 年 9 月开设课程，该课程旨在让医学生和医务人员在掌握系统理论医学专业知识的同时，具备将医学专业知识转变为让公众或患者易于接受的医学科普知识的能力，并将医学科普逐渐转化为医学生、医务人员的一种责任和能力，推动专业、精准、有效的医学科普传播的发展、普及，从而全方位提升公众医学及健康素养。2019 年 7 月，国家卫健委提出将于 2022 年全面建成医疗机构和医务人员医学科普绩效考核机制。目前，广东省已正式实施。可见，医学传播能力将会是医务工作者专业能力的重要组成部分，在学校阶段及医务人员继续教育阶段就对医学生及医务人员的科普能力进行培养，显得尤为必要。因此，医学传播学的学科发展符合新医科人才培养的要求，是推动“健康中国”建设的有利举措。

近年来，广东医科大学医学传播学课程遵循医疗行业特点和医学人才成长规律，通过理论讲授及义工“幸福银行”“三下乡”社会实践体系等实践平台，整合学校、医院、社区和国际名校的优质资源，培育医学生树立“大健康”理念，确立以“健康中国”战略和人民健康需求为职业新定位，提升救死扶伤的道术、心中有爱的仁术、知识扎实的学术、本领过硬的技术，促进医防能力融合。自开课以来，每期均有大量学生选修，反响热烈，要求多开课的呼声不断。2021 年，广东医科大学成立医学传播学教研室、健康促进与医学传播学研究所；医学传播学纳入广东医科大学 2020 级临床医学等专业的人才培养方案，并由任意选修课转变为指定选修课。2022 年，广东医科大学健康促进与医学传播学研究所入选中国科协评选的“全国首批科普教育基地”，医学传播学课程入选广东省教育厅“一流课程”。经过 5 年的风雨历程，医学传播学课程的教学效果已通过了实践的检验，获得了宝贵经验。

由于目前市面上尚未出现专门针对医学传播学的教材，为满足教学和实践应用需要，促进医学传播学学科建设发展，广东医科大学医学传播学教研室集结广东医科大学、华南理工大学、荷兰格罗宁根大学等海内外高等院校的编委，以多年的教学经验为基础，组织人员开展了本书的编撰工作。本书由十四章组成，第一章至第八章相当于总论，主要介绍医学传播学相关理论模型和研究方法；第九章至第十四章则为分论，介绍在不同的场所开展医学传播的实例。

作为医学传播学课程的配套书籍，本书编撰过程历经一年有余，由不同高校、不同学科背景的各位专家、学者群策群力完成，在此表示感谢。

由于医学传播学为新兴学科，我们的能力所限，书中难免会出现一些偏误，恳请广大师生及同行不吝指正，共促学科发展壮大！

王双苗

2022 年 8 月

目　录

第一章　医学传播学概况

课程要求

1. 了解医学传播学的发展历史
2. 了解医学传播学发展现状
3. 了解医学素养的定义
4. 了解医学传播学的目的及其重要性

改革开放以来，我国经济水平不断提升，医疗体系不断完善，居民整体健康水平大幅度提升，国民平均寿命等健康指标总体上优于中高收入国家水平。然而，当前我国居民健康素养相较同类国家而言却仍然较低，居民普遍存在不健康的生活习惯。党的十九大提出实施“健康中国”战略，将以“疾病”为中心转为以“健康”为中心，并加强对疾病预防的重视。同时，重视健康知识普及力度，强调公民树立“大健康，大卫生”理念，提高居民主动防病意识。

医学传播学研究医学信息传播、沟通、科普相关的一切活动，是一门交叉融合了医学、传播学、心理学、管理学等多个领域的新兴学科，旨在提高居民健康科学素养、降低疾病的患病率和死亡率、提高居民健康水平。医学传播学的推广普及，既是贯彻落实健康中国战略、促进医防融合的必要途径，同时也是国家创新医学教育模式的重要组成部分。

作为一门新兴学科，医学传播学在历史进程中是如何演变发展的，又是如何走进我们的现实生活中的？它的存在，又能为我们带来些什么？本章我们将从医学传播学的由来与现状、医学传播学的目标这两个维度，对其进行系统介绍。

一、医学传播学的由来与现状

健康是促进人的全面发展的必然要求，是经济社会发展的基础条件。从古至今，如何维持健康和延长寿命，是人类永恒的追求。最早的医学传播始于卫生知识传播。

卫生知识传播与其他知识的传播一样，都是人类特有的一种社会现象，其伴随着社会的发展而发展。在原始社会，由于尚未出现文字和书籍，卫生知识传播手段主要通过口耳相传和行为模仿。火的使用使人类告别茹毛饮血的生活习惯，进而开始进食熟食，这有利于身体健康和延长寿命。《白虎通》中记载："钻木燧取火，教民熟食，养人利性，避臭去毒，谓之燧人也。"这段文字反映了原始人群中，相互传授取火、用火的知识和技能，是当时社会生产和生活的迫切需要，也是原始社会卫生知识传播的重要内容。

大约从公元前 2070 年到公元前 256 年，中国经历了夏、商、周 3 个奴隶制王朝。在这个阶段，生产力得到较快发展，汉字（甲骨文）得以产生。甲骨文的字形与先民的日常生活息息相关，如甲骨文的"沫""盥""浴"等字，分别像人在器皿中洗脸、洗手和在盆中洗澡。这些甲骨文是最早的记录和传播卫生知识的工具。

先秦时期，人们已经有防患于未然的认识。"预防"一词最早可见于《周易·既济》中记载："君子以思患而预防之。"有关疾病预防的认识，《黄帝内经·素问·四气调神大论》中有明确记载："是故圣人不治已病，治未病，不治已乱，治未乱，此之谓也。夫病已成而后药之，乱已成而后治之，譬犹渴而穿井，斗而铸锥，不亦晚乎。"可见，先民的"治未病"思想与现代医学的疾病预防不谋而合。除了防病思想外，我们从古籍和出土文物中也能看出先民已掌握一些卫生保健的方法，如《山海经》中就记录了 60 种不同用途的防病药物，夏、商、周遗址中也发现水井和陶质地下排水管道等。

公元前 221 年，秦灭六国，建立了第一个中央集权王朝，从此中国进入了 2 000 多年的封建社会。在这段历史时期，中国传统医学体系逐步完善并得到全面发展。造纸术和印刷术的出现更是使卫生保健知识和中医理论得以更好地保存和传播。除了书籍外，还有一些特殊的其他载体，如马王堆出土的彩帛《导引图》是我国最早的卫生科普宣传画，以及北齐至唐初的龙门石刻药方等。

晚清时期，西方医学传入中国，大量的外文医学书刊被翻译出版，对于西医知识在中国的普及起到一定作用。民国时期，由于国外的健康教育理念不断引入，健康教育事业不断发展，体现在专业机构的设立、学术团体的出现、专业人才的培养、多种形式的学校卫生教育和民众卫生教育的开展，以及大量学术著作和专业论文的出版、发表等。

新中国成立初期，传染病成为健康的主要威胁，因此传染病卫生宣传教育和爱国卫生运动是当时主要的卫生传播工作；到了 20 世纪 80 年代，我国卫生传播事业有了突破和发展：不同形式、不同层次的卫生传播工作广泛开展，健康教育、健康传播等相关学科引起了更多研究者的重视，学科体系建设不断完善，国际交流成功拓展；20 世纪 90 年代以后，健康促进、健康素养、健康共治等新概念不断引入，健康传播事业蓬勃发展。

大力普及公民健康素养基本知识与技能，不断提高公民的健康素养水平，是提高全民健康水平的基本保障。为全面提升居民健康素养和培养健康行为习惯，2008 年国家卫生部首次发布了《中国公民健康素养——基本知识与技能(试行)》；2015 年国家卫生计生委正式发布了《中国公民健康素养——基本知识与技能(2015 年版)》，将健康素养分成基本知识和理念、健康生活方式与行为、基本技能 3 个部分。同时，我国卫生主管部门从 2008 年起，连续 14 年对我国居民健康素养水平进行监测。数据显示，我国居民健康素养水平从 2008 年的仅有 6.48% 攀升至 2021 年的 25.40%。然而，显著成绩背后，却依然存在一些问题，如居民健康素养水平相比同等的中高收入国家依然较低，城乡居民健康素养水平差距较大，居民健康素养与实际健康行为习惯不匹配等。2016 年 8 月 19 日，习近平总书记在全国卫生与健康大会上指出："要把人民健康放在优先发展的战略地位，以普及健康生活、优化健康服务、完善健康保障、建设健康环境、发展健康产业为重点，加快推进健康中国建设，努力全方位、全周期保障人民健康。"之后，中共中央、国务院印发了《"健康中国 2030" 规划纲要》，提出要将工作重心从"以治病为中心"转移到"以健康为中心"，高度重视疾病防控，全面提升居民健康素养。广东医科大学于 2017 年在全国首开医学传播学课程，率先在全国展开了医学传播学教学探索。在此之后，上海交通大学等高校也陆续开设了医学传播学课程并开展医学传播相关教材编撰工作。然而，当前医学传播学的发展仍然面临着对医学传播学定义不明确、医学传播学学科体系建设不健全、医学传播学的推广力度不够大、医学传播学理论研究依旧处于初步阶段等诸多挑战，未来关于医学传播学的理论与实践探索仍然任重道远。

二、医学传播学的目标

医学传播学作为一门立足于实践、服务于社会的学科，其目标主要可从两方面去理解。

1. **对于居民健康水平的提升**　如前文所述，在健康中国战略的驱动下，近年来我国居民的健康素养得到了显著提升，健康与疾病防护意识明显增强。然而，有不少研究发现，公民健康素养的提升仍然无法解决医患关系紧张、居民日常医疗知识匮乏、不健康行为仍存在、遇到紧急医疗状况无法正确处理等问题，公众对于基础医学知识仍无法完全理解和运用，说明仅提升公民的健康素养是远远不够的，其医学素养也亟待提高。对比健康素养，医学素养的研究相对较少，尚处于起步阶段，国内外学者关于医学素养的研究基本局限在医护人员、医疗相关行业从业者、患者等人群，而对于公众医学素养的研究更是鲜有，调查公众医学素养水平的实证研究较为缺乏，衡量公众医学素养的工具和方法也未曾形成通用的统一标准。且对于公众医学素养，国内外均没有准确的定义，其与健康素养的概念界限也模糊不清。大致来说，公众医学素养主要指公众对医学相关信息的理解能力，包括但不限于公众了解医学常见知识、认同医学方法、熟悉医改政策及可与医护人员有效沟通的能力。医学素养是对健康素养的有力补充。例如，健康素养对个体如何健康饮食提供了切实的建议，而医学素养则可以帮助个体意识到这些健康饮食相关建议背后的基础医学原理，使个体更能够理解其重要性。基于此，医学传播学旨在提升居民医学素养，从而促进居民健康素养提升，培养健康行为习惯，全方位提升健康水平。

2. **对于医学生及医务工作者科普能力的培养**　近年来，随着工作重心从“治病”向“健康”转移，党中央及国务院高度重视医务人员从事健康科普工作，并提出在2022年前全面建立医疗机构和医务人员健康教育和健康促进绩效考核机制，鼓励更多医务人员投身健康科普工作。然而，由于专业背景的差异以及自身繁重的医务工作，许多从事科普工作的医务人员在如何进行有效科普上遇到了严峻的挑战。因此，医学传播学旨在利用行为学、心理学、传播学等多学科领域的理论知识，科学指导医学生和医务工作者如何从事健康科普、传播医学知识、促进构建和谐医患关系。

参考文献

[1] 陆江，李浴峰．中国健康教育史略 [M]. 北京：人民军医出版社，2009.
[2] 傅华，陶沙，李江，等．以健康共治实现全民健康管理 [J]. 上海预防医学，2016, 28 (10): 673-676

第二章　医学传播与健康政策

课程要求

1. 掌握健康政策的概念与范围。
2. 了解我国科普法律法规。
3. 熟悉中国居民健康素养现状。
4. 了解我国医学科普传播现状及解决困难的对策。

随着经济社会的持续发展，人民生活水平越来越高，人民群众的健康意识及对健康的需求也随之不断提高。然而，由于人们对自身健康管理的不严格及对基本医学常识的缺乏，众多由于不良生活方式或饮食习惯所引起疾病的发病率正在逐年上升。此外，由于受到互联网中充斥的虚假医学知识及风俗习惯的影响，很多患者或者亚健康人群往往没能尽早地到正规的医疗机构进行诊治，耽误了最佳治疗的时间。现代医学科普传播的一项主要任务就是缓解广大人民群众不断提高的健康需求与国民健康素养仍然较低之间的矛盾。

我国由于庞大的农村人口基数，人均健康素养水平要远低于世界发达国家。如何通过医学科普传播提高全民健康素养，是目前医学科普传播要解决的一个热点问题。我们应该知道，掌握基本医学常识不仅仅是医生的责任，每个人都应为自己的健康负责，社会管理者更应该充分认识到普及医学常识是社会的责任。在全社会进行普及医学常识，让公众了解健康知识，改变人们不健康的生活方式，避免或减少疾病的伤害，是最广泛、最积极有效的预防手段，也是一项最节省国家公共资源的健康促进对策。因此，重视医学科普宣传，开展健康教育，已成为提高全民族医学科学素质的一项重要工作。

一、健康政策的概念与范围

健康政策一般是指一国政府或其他国际机构制定的影响医疗卫生服务和公民健康的计划和行动。随着当代社会的进步，健康已成为社会发展进步的标志，健康政策的范围也从医疗卫生扩展到生态环境、生活方式、经济社会发展等方面。习近平总书记在2016年全国卫生与健康大会上发表重要讲话，明确指出，没有全民健康，就没有全面小康。要把人民健康放在优先发展的战略地位，以普及健康生活、优化健康服务、完善健康保障、建设健康环境、发展健康产业为重点，加快推进健康中国建设，努力全方位、全周期保障人民健康，为实现"两个一百年"奋斗目标、实现中华民族伟大复兴的中国梦打下坚实的健康基础。

健康是促进人的全面发展的必然要求，是经济社会发展的基础条件，是民族昌盛和国家富强的重要标志，也是广大人民群众的共同追求。我们要坚持中国特色卫生与健康发展道路，要坚持正确的卫生与健康工作方针，要坚持基本医疗卫生事业的公益性，要坚持提高医疗卫生服务质量和水平，要坚持正确处理政府和市场关系。目前，国家健康政策的方向由"所有政策体现健康"向"将健康融入所有政策"转变。为促进健康事业与健康产业的有机衔接、全民健身和全民健康的深度融合等，关键在于如何让健康政策融入全局，如何使健康服务贯穿全程。

随着当代社会的进步，健康状况已从个体的重要价值目标，变成世界范围内一项重要的社会目标，成为社会发展进步的标志，成为国际政治舞台和各国政府关注的热点。新中国成立以来特别是改革开放以来，我国健康领域改革发展取得显著成就，城乡环境面貌明显改善，全民健身运动蓬勃发展，医疗卫生服务体系日益健全，人民健康水平和身体素质持续提高。2021年我国人均预期寿命已达78.2岁，婴儿死亡率、5岁以下儿童死亡率、孕产妇死亡率分别下降到5.0‰、7.1‰和16.1/10万，总体上优于中高收入国家平均水平，为全面建成小康社会奠定了重要基础。党和国家历来高度重视人民健康，把提高人民群众的健康素养作为国家富强、民族振兴的重要标志，作为全面建成小康社会、基本实现社会主义现代化的重要基础，作为全面提升中华民族健康素养、实现人民健康与经济社会协调发展的国家战略，作为积极参与全球健康治理、履行2030年可持续发展议程国际承诺的重大举措。

(一) 健康政策的定义和内涵

国家卫生健康委卫生发展研究中心顾雪非研究员与武汉大学政治与公共管理学院冯显威教授在《健康政策的概念、范围及面临的挑战与选择》一文中分析：世界卫生组织认为，健康政策是各种机构(尤其是政府)针对健康需求、可用的资源以及其他政治目标而发布的正式声明或制定的程序，用以规定行动的轻重缓急和行动参数。世界卫生组织这个定义在概念的分析层面上，强调了健康政策的制定是合法权威的政府等机构来完成的，是为了解决健康需求问题或社会矛盾而做出的选择，表现为文告或程序规定的行动途径；在政策实践的层面上，用行动参数规定一个可供参考的常数值或变量以评估方法或结果。世界卫生组织对健康政策的这个定义，技术性比较强，利于对健康政策的理解，适合观察分析健康政策项目。健康政策不仅具有普遍性，它还带有政治倾向性、价值选择性和时效性。因此，上述健康政策的定义不完全适合我国的情况。

顾雪非研究员与冯显威教授用抽象概括的方式提出一个切合中国实际的定义：健康政策是政府或其他机构为了实现人人享有基本医疗卫生服务的战略目标，提高全民健康水平而制定的决议和计划。这一定义包括以下 5 个方面。

(1) 制定健康政策是为了实现人人享有基本医疗卫生服务，通过建立基本医疗卫生制度来保护和促进国民的健康。

(2) 健康政策拓宽了“卫生政策”的内涵。卫生政策原来的概念是基于“2000 年初步建立起包括卫生服务、医疗保障、卫生执法监督的卫生体系”的范围来定义的。国民健康政策中的健康内涵涉及更高的定位，是人全面发展的基础，是人民生活质量改善的重要标志，是社会建设的重要目标。相比之下，“卫生政策”的内涵明显窄了许多。

(3) 在健康政策的概念框架内，基本医疗卫生政策仍处于核心地位。

(4) 健康政策的措施体现了坚持公共医疗卫生的公益性质。

(5) 健康政策确定的“实现人人享有基本医疗卫生服务”的目标，体现了在健康方面达到平等和促进社会公平正义的目的。

(二) 我国健康政策的主要范围

国际上健康政策涉及的范围比较广，政策关注的领域也比较宽。其主要范围可概括为五大领域，即健康服务政策、药物和人力资源系统政策、全民健康保险和全民医疗保健政策、公共健康政策及其他所有体现健康的政策。我国健康政策主要包括以下5个方面。

1. **普及健康生活方式**　包括加强健康教育、塑造自主自律的健康行为以及提高全民身体素质。推进全民健康生活方式行动，强化家庭和高危个体健康生活方式指导及干预；建立健康知识和技能核心信息发布制度，健全覆盖全国的健康素养和生活方式监测体系；建立健全健康促进与教育体系，提高健康教育服务能力；加强精神文明建设，发展健康文化，移风易俗，培育良好的生活习惯；将健康教育纳入国民教育体系，把健康教育作为所有教育阶段素质教育的重要内容；培养健康教育师资，将健康教育纳入体育教师职前教育和职后培训内容；制定实施国民营养计划，发布适合不同人群特点的膳食指南，引导居民形成科学的膳食习惯；建立健全居民营养监测制度，对重点区域、重点人群实施营养干预；实施临床营养干预，加强对学校、幼儿园、养老等机构营养健康工作的指导；开展控烟、限酒，运用价格、税收、法律等手段提高控烟成效，并控制酒精避免过度使用；加强心理健康服务体系建设和规范化管理；减少不安全性行为和毒品危害；完善全民健身公共服务体系，广泛开展全民健身运动，加强体医融合和非医疗健康干预，促进重点人群体育活动。

2. **优化健康服务**　包括强化覆盖全民的公共卫生服务，防治重大疾病，完善计划生育服务管理，推进基本公共卫生服务均等化；提供优质高效的医疗服务，全面建成体系完整、分工明确、功能互补、密切协作、运行高效的整合型医疗卫生服务体系；创新医疗卫生服务供给模式，建立专业公共卫生机构、综合和专科医院、基层医疗卫生机构“三位一体”的重大疾病防控机制；提升医疗服务水平和质量，建立与国际接轨、体现中国特色的医疗质量管理与控制体系；充分发挥中医药独特优势，提高中医药服务能力，发展中医养生保健治未病服务，推进中医药继承创新；加强重点人群健康服务，提高妇幼健康水平，促进健康老龄化，推进老年医疗卫生服务体系建设；维护残疾人健康，制定实施残疾预防和残疾人康复条例；加大符合条件的低收入残疾人医疗救助力度，将符合条件的残疾人医疗康复项目按规定纳入基本医疗保险支付范围；建立残疾儿童康复救助制度，改善残疾人医疗服务。

3. **完善健康保障**　完善全民医保体系，健全以基本医疗保障为主体、其他多种形式补充保险和商业健康保险为补充的多层次医疗保障体系；健全医保管理服务体系，严格落实医疗保险基金预算管理，全面推进医保支付方式改革，积极推进按病种付费、按人头付费，积极探索按疾病诊断相关分组付费（DRGs）、按服务绩效付费，形成总额预算管理下的复合式付费方式，健全医保经办机构与医疗机构的谈判协商与风险分担机制；积极发展商业健康保险，落实税收等优惠政策，鼓励企业、个人参加商业健康保险及多种形式的补充保险；完善药品供应保障体系，深化药品、医疗器械流通体制改革，推进药品、医疗器械流通企业向供应链上下游延伸开展服务，形成现代流通新体系；规范医药电子商务，丰富药品流通渠道和发展模式；推广应用现代物流管理与技术，健全中药材现代流通网络与追溯体系；落实医疗机构药品、耗材采购主体地位，鼓励联合采购；完善国家药品价格谈判机制，建立药品出厂价格信息可追溯机制；巩固完善国家基本药物制度，推进特殊人群基本药物保障；强化价格、医保、采购等政策的衔接，坚持分类管理，加强对市场竞争不充分药品和高值医用耗材的价格监管，建立药品价格信息监测和信息公开制度，制定完善医保药品支付标准政策。

4. **建设健康环境**　深入开展爱国卫生运动，加强城乡环境卫生综合整治，建设健康城市和健康村镇；加强影响健康的环境问题治理，深入开展大气、水、土壤等污染防治工作，实施工业污染源全面达标排放计划，建立健全环境与健康监测、调查和风险评估制度，保障食品药品安全；完善公共安全体系，强化安全生产和职业健康，促进道路交通安全，建立伤害综合监测体系，开发重点伤害干预技术指南和标准，提高突发事件应急能力，健全口岸公共卫生体系。

5. **发展健康产业**　优化多元办医格局，发展健康服务新业态，积极发展健身休闲运动产业；促进医药产业发展，加强医药技术创新，提升产业发展水平。

二、我国科普法律法规

不论是一个民族的独立自强和生生不息，还是一个国家的核心竞争力与强大发展后劲，其关键都在于高水平的国民素质。健康素养作为健康素质中的重要一环，正是国民素质中极为重要的构成部分。当老百姓能够运用科学知识处理实际问题、参与公共事务时，他们的生活质量才能得到更大程度的提升；当老百姓能够运用基本医学常识解决实际问题时，他们才能更好地维护身心健康。身强则民强，民强则国强。

（一）《中华人民共和国科普法》

为了实施科教兴国战略和可持续发展战略，加强科学技术普及工作，提高公民的科学文化素质，推动经济发展和社会进步，2002 年 6 月 29 日，第九届全国人民代表大会常务委员会第二十八次会议审议通过了《中华人民共和国科普法》。这是世界上第一部与科学普及有关的法律，在我国乃至世界科普发展史上都留下了浓墨重彩的一笔。除了中国，再没有任何一个国家将对科普的重视上升到国家立法的程度。

科普立法是为了加强科普工作。科普法不同于科技政策、决定或其他的行为规范，它的作用无法被其他行为规范所替代。科普立法为加强科普工作，提供了法律保障。科普法将普及科学技术上升为国家的意志，全体人民的意志，体现和代表了最广大人民的根本利益，具有普遍的约束力和强制力。科普法是以国家强制力来保证实施的。国家的权力机关、行政机关、司法机关等国家机关，都成为保证科普事业依法发展的坚强后盾。

1.《中华人民共和国科普法》的重要意义　科学技术的迅猛发展，从来没有像当今这样全面影响着人类创造物质财富和精神财富的实践。科学技术的发展水平，已成为一个国家、一个民族是否有强盛竞争力的根本标志。世界各国在争夺人才的同时，也在致力于普及和提高全体国民的科学文化水平，以增强国家的综合国力和创新能力。根据国际国内形势的发展和我国长远的基础性建设需要，我国制定了《中华人民共和国科普法》（以下简称《科普法》）。

科普立法是为了实施科教兴国战略和可持续发展战略。党和国家确立实现现代化，建成富强民主、文明的社会主义国家总的奋斗目标和总任务，是需要一系列重要的政策和策略来实现的。实施科教兴国战略和可持续发展战略是实现党和国家总目标、总任务的重要政策和途径。进行全民的科学技术普及是实施这两大战略的重大的基础性工作，同时也是实现党和国家确立的总目标、总任务的长远的奠基工程。

《科普法》明确提出“发展科普事业是国家的长期任务”，这是首次用法律保障科普事业的发展，这意味着科普成为由国家推动的事业，科学技术的普及被定位为国家的长期任务。《科普法》也是国家为科学技术普及工作专门制定的一部法律，也为科普工作提供了明确的法律依据和强有力的法治保障。2003 年 6 月 29 日，全国人大教科文卫委员会、中共中央宣传部、教育部、科技部、司法部、财政部和中国科协联合在北京人民大会堂举行座谈会，纪念世界首部科普法规诞生一周年。中国科学院院长路甬祥在会上指出,《科普法》的实施,是依法治国方略的重要体现,标志着中国科普工作纳入了法治化轨道,科普事业步入一个新的发展阶段。《科普法》是中国加强科学技术普及工作、提高公民科学文化素质、实施科教兴国战略和可持续发展战略、推动经济发展和社会进步的一部重要法律,对于保证科普工作开展具有深远意义。为科普立法,是我国科普工作的一个重要里程碑,标志着我国的科普工作进入了一个新阶段,对加强科学技术普及、提高公民的科学文化素质、推动经济发展和社会进步,都将产生重要影响。

2. **如何理解《中华人民共和国科普法》**《科普法》总结了几十年来科学技术普及工作的实践经验和教训,将这些经验、教训上升为国家意志,制定成国家法律,体现和维护了包括广大科技工作者、科普工作者在内的广大人民群众的根本利益。该法篇幅较短,共有 6 章 34 条,但其内容丰富,结构严谨。学习《科普法》,可以从以下几个方面来加深理解。

(1)科普的定义:《科普法》中未明确定义"科普"的概念,但是在它的条文中,又可以界定该法所指的科普的含义。该法第二条规定:本法适用于国家和社会普及科学技术知识、倡导科学方法、传播科学思想、弘扬科学精神的活动。所谓"科普",就是指的这种活动。它不仅包括科学技术知识的普及,也包括科学方法、科学思想、科学精神的普及,改变了过去那种一讲科普,就认为是普及科技知识,而忽略了科学方法、科学思想和科学精神普及的片面认识。

(2)科普立法的宗旨:《科普法》第一条开宗明义地指出,为了实施科教兴国战略和可持续发展战略,加强科学技术普及工作,提高公民的科学文化素质,推动经济发展和社会进步,根据宪法和有关法律,制定本法。这就是制定《科普法》的根本目的和宗旨。

(3)科普工作的方针、原则:《科普法》第二条规定,开展科普工作应当采取公众易于理解、接受、参与的方式;第七条规定,科普工作应当坚持群众性、社会性和经常性,结合实际,因地制宜,采取多种形式;第八条还规定,科普工作应当坚持科学精神,反对和抵制伪科学。这些规定是我们做好科普工作的指导方针和基本原则。

(4)科普的性质:《科普法》第四条指出,科普是公益事业,是社会主义物质文明和精神文明建设的重要内容。明确了科普是一项公益事业,是非营利性的。

综上所述,科普工作并不仅仅是某一历史阶段的短期任务,而应成为提高全民科学素质而必须坚持的一项长远任务，是一个系统工程。医学类高等院校不仅要成为医学科学教育与研究的中心，还有责任和义务承担起医学科普的重任，将系统理论化的医学知识、最新最前沿的医学科研成果，通过丰富多彩、喜闻乐见的方式向大众普及。与此同时，各级各类医院在承担疾病诊治任务同时，应当积极参与到医学科普宣传和教育中去，与其他单位，尤其是社区、学校等进行有效地合作，建立稳定的医学科普宣传平台，建立与医学科普培训方式相适应的长期稳定的科普培训基地，优化整合各种教育培训资源，实现资源共享，形成广覆盖、多层次的教育培训网络，撰写一系列的医学科普读物；将医学知识及最新的临床科研成果科普化，宣传医学科学知识、普及健康生活方式，不断提高群众的健康意识和医学知识水平。同时，通过科普传播，一定程度上可以加强临床医生与广大群众或患者的沟通，有助于改善医患关系。

（二）《全民科学素质行动计划纲要（2006—2010—2020年）》《全民健康素养促进行动规划（2014—2020年）》与《全民科学素质行动规划纲要（2021—2035年）》

2006年国务院颁布了《全民科学素质行动计划纲要（2006—2010—2020年）》，其中明确了科普工作的实施原则、实施主体、基础工程和保障措施，还对重点人群的科学素质行动进行了区分，形成了规范化制度、行动计划和推进机制。

2014年，为建立健康素养促进工作的长效机制，加强卫生计生系统健康促进工作统筹协调，持续深入开展全民健康素养促进行动，促进健康科普工作科学、规范、有效地开展，国家卫生计生委制定了《全民健康素养促进行动规划（2014—2020年）》（以下简称规划）。规划明确了健康科普信息的定义是指以健康领域的科学技术知识、科学观念、科学方法、科学技能为主要内容，以公众易于理解、接受、参与的方式呈现和传播的信息，通过普及这些信息帮助公众形成健康观念、采取健康行为、掌握健康技能、提高健康素养，从而维护和促进自身健康；提出了健康科普信息传播的科学性原则、适用性原则；规范了健康科普信息传播需要遵循评估受众需求、生成信息、对信息进行预试验、修改完善信息以及信息的风险评估5个流程。规划还要求健康科普信息传播需要按照适用性、可及性、经济性的原则，在传播过程要注明来源、注明作者、注明时间、注明受众、明确目的并注明依据。而针对健康科普信息和传播效果的评价，则分为形成评价、过程评价和效果评价3个方面；评价的方法，分为专家咨询、定量调查、定性调查和舆情监测4种。规划提出要进一步了解公众对健康教育相关内容的认知情况和进一步的需求信息，调整健康科普信息的内容和传播形式，尽可能让健康科普信息覆盖到未受到健康教育的高危人群。

2015年，为向各级各类卫生机构开展健康科普信息生成与传播工作提供技术指导，逐步引导并规范全国健康科普工作广泛、深入、可持续开展，国家卫生计生委宣传司联合中国健康教育中心，在多次组织专家研讨论证和调研的基础上，开发了《健康科普信息生成与传播技术指南(试行)》。文件指出，健康科普信息是指以健康领域的科学技术知识、科学观念、科学方法、科学技能为主要内容，以公众易于理解、接受、参与的方式呈现和传播的信息。指南从健康科普信息生成、健康科普信息传播、效果评价3个方面，阐述了健康科普信息生成与传播的原则、要求、流程、注意事项。内容覆盖健康科普信息生成和传播的全过程，重点强调健康科普信息的科学性和适用性问题，从各个技术层面确保公众获得科学、适用、可操作性强和具有行为指导性的健康科普信息。

近20年来，在《科普法》和《全民科学素质行动计划纲要(2006—2010—2020年)》的推动下，我国科普事业实现了前所未有的跨越发展，对经济发展和社会进步产生深远的影响。2021年6月，国务院印发《全民科学素质行动规划纲要(2021—2035年)》，其中肯定了以往取得的成绩，全民科学素质行动取得显著成效，各项目标任务如期实现。公民科学素质水平大幅提升，2020年具备科学素质的比例达到10.56%；也提出了存在一些问题和不足，主要表现在科学素质总体水平偏低，城乡、区域发展不平衡；科学精神弘扬不够，科学理性的社会氛围不够浓厚；科普有效供给不足、基层基础薄弱；落实“科学普及与科技创新同等重要”的制度安排尚未形成，组织领导、条件保障等有待加强。

未来，我国已转向高质量发展阶段，人才是第一资源、创新是第一动力的重要作用日益凸显，国民素质全面提升已经成为经济社会发展的先决条件。科学素质建设站在了新的历史起点。必须坚持不懈地传播和推广科学技术，让科普活动在全国全面开展，人们参与其中，让对科学的崇尚和追求渗透到每个人的思维里，保持着开放和批判的科学思维，同时，科学思维也有助于维护精神幸福、心理健康，科普工作全面提升国民身心健康和意识健全的总体水平。

三、中国居民健康素养现状及分析

健康素养是指个人获取和理解基本健康信息和服务，并运用这些信息和服务做出正确决策，以维护和促进自身健康的能力。世界卫生组织指出，无论是发达国家还是发展中国家，居民健康素养水平普遍偏低，例如在美国，约50% 成人对健康信息的理解存在困难；提高健康素养是加快实现联合国千年发展目标中卫生相关目标的迫切需要。根据我国国情，提升城乡居民健康素养，有利于提高广大人民群众发现和解决自身健康问题的能力，是提升人民群众健康水平的重要策略和措施，是推进健康中国建设的重要内容，是《"健康中国 2030" 规划纲要》的主要指标之一。

（一）首次中国居民健康素养调查

为了解我国居民的健康素养现状，自 2008 年开始，国家卫生部新闻宣传中心和中国健康教育中心在参考国内外健康素养研究成果和工作经验基础上，组织开展居民健康素养监测。中国健康教育中心编写了《中国居民健康素养调查问卷》，开展了全国范围的调查。该次调查覆盖全国 31 个省（自治区、直辖市）及新疆生产建设兵团，调查对象为 15~69 岁的常住人口，共计调查 79 542 人。2009 年 12 月 18 日，国家卫生部公布首次中国居民健康素养调查结果，主要为以下 5 个方面的内容。

1. **我国居民具备健康素养的总体水平为 6.48%，即每 100 人中不到 7 人具备健康素养**　从健康素养的三方面内容看，具备基本知识和理念、健康生活方式与行为、基本技能素养的人口比例分别是 14.97%、6.93% 和 20.39%。

2. **慢性病预防素养最低，基本医疗素养次之**　根据我国当前的主要卫生问题，就科学健康观、传染病预防、慢性病预防、安全与急救、基本医疗等 5 类健康问题相关素养现状进行了分析。我国居民具备相关健康素养的人口比例由高到低分别是：科学健康观素养 29.97%、安全与急救素养 18.70%、传染病预防素养 15.86%、基本医疗素养 7.43%、慢性病预防素养 4.66%。

3. **居民健康素养水平存在明显的城乡和地域差别**　调查发现，城市居民健康素养水平（9.94%）明显高于农村居民（3.43%）。在地域分布中，东中西部地区在健康素养水平上也存在明显的差异，分别为 7.03%、7.67% 和 5.23%。

4. **年龄在 55~69 岁人群健康素养水平较低**　调查发现，65~69 岁年龄组的健康素养最低，为 3.81%；55~64 岁年龄组的健康素养次之，为 4.69%。老年人是健康素养的脆弱群体，容易受各种疾病，尤其是慢性疾病的困扰，对于老年人的健康问题应该给予更多关注，提高他们的自我健康能力，以适应我国人口老龄化的需求。

5. **六项指标的正确回答率低于 20%** 对 71 项测评内容总体回答情况进行分析发现，6 项指标的正确回答率低于 20%，分别为“对四害传播疾病的正确认识”(3.28%)、“对肥胖的正确认识”(7.16%)、“对镇静止痛药的正确理解”(13.95%)、“骨折伤员的处置”(17.28%)、“认识药品说明书”(18.70%)、“成年人饮酒日饮用量”(18.79%)。结果显示我国居民对上述问题普遍存在错误认识，提示在今后推广和普及健康素养工作中，应着重提高居民上述基本知识和技能。

根据调查结果，相关专家提出了如下建议。

(1)大力推进健康促进与健康教育工作，提高全民健康素养水平。

调查结果显示，我国居民具备健康素养的总体水平仅为 6.48%，这充分证明提高全民健康素养水平的必要性和重要性。《中共中央国务院关于深化医药卫生体制改革的意见》和《国务院医药卫生体制改革近期重点实施方案(2009—2011 年)》对加强健康教育与健康促进工作提出了明确要求。各级政府和有关部门要结合新医改工作，充分发挥健康教育与健康促进在提高全民健康素养中的作用，加大经费投入，建立健全健康教育机构和工作网络，提供规范优质服务，促进城乡居民平等享有健康教育与健康促进等基本公共卫生服务，确保全民健康素养水平逐步得到提高。

(2)努力探索提高全民健康素养水平的新思路和新方法。

鉴于我国居民健康素养水平普遍偏低的现状，特别需要针对重点人群和重点健康问题，制订科学、可行及有效的传播策略，探索提高全民健康素养的新思路和新方法。充分利用多种媒体，广泛开展以提高全民健康素养为目的的健康传播活动，如城乡居民健康知识竞赛活动；依托“全国亿万农民健康促进行动”和“相约健康社区行”活动平台，以学校、厂矿企业、医院、社区卫生服务中心(站)和乡镇卫生院(室)等为阵地，广泛开展以提高基本健康知识与技能、促进健康行为形成为目的的综合干预活动。提高全民健康素养水平，也离不开居民个人的努力。通过开展综合性健康教育与健康促进活动，促使广大城乡居民从自身做起，树立科学的健康观念，学习和掌握科学的健康知识，提高对健康信息的甄别能力，合理利用身边的医疗卫生服务，促进健康的生活方式与行为形成，提高个人健康素养水平。

(3)定期开展健康素养监测,及时发布监测结果。

建议每3~5年在全国范围内开展1次城乡居民健康素养监测,同时在不同地区、针对当地主要卫生问题和突发公共卫生事件开展专题或应急调查,动态监测居民健康素养水平的变化趋势,及时发布监测结果,全面系统地掌握我国居民健康素养水平和影响因素,为制定医疗卫生服务政策提供科学依据,努力使居民健康素养基本知识与技能监测工作制度化、经常化。在此基础上,力争将居民健康素养评价指标纳入国家卫生事业发展规划之中,作为综合反映国家卫生事业发展的评价指标,促进我国卫生事业更好更快地发展。

(二) 2021年中国居民健康素养监测

2021年,国家开展中国居民健康素养监测,监测内容以《中国公民健康素养——基本知识与技能》为依据,覆盖全国31个省(自治区、直辖市)的336个县(区)1 008个乡镇(街道),对象为15~69岁常住人口,共得到有效调查问卷66 676份。

2022年6月,国家卫生健康委网站发布上年度的监测结果:2021年我国居民健康素养水平达到25.40%,比2020年提高2.25个百分点,继续呈现稳步提升态势。其中2021年全国城市居民健康素养水平为30.70%,农村居民为22.02%,较2020年分别增长2.62和2.00个百分点。东、中、西部地区居民健康素养水平分别为30.40%、23.83%和19.42%,较2020年分别增长1.34、2.82和2.70个百分点。城乡居民基本知识和理念素养水平为37.66%,健康生活方式与行为素养水平为28.05%,基本技能素养水平为24.28%,较2020年分别提升0.51、1.61、1.16个百分点。全国居民六类健康问题素养水平由高到低依次为:安全与急救素养56.41%、科学健康观素养50.01%、健康信息素养35.93%、传染病防治素养27.60%、慢性病防治素养26.67%和基本医疗素养26.05%;其中基本医疗素养、安全与急救素养和传染病防治素养均有提升,科学健康观素养、健康信息素养和慢性病防治素养与2020年基本持平。

分析认为,近两年面对突如其来的新冠肺炎疫情,党中央把人民生命安全和身体健康放在第1位,迅速打响疫情防控的人民战争、总体战、阻击战。国家迅速建立各级疫情信息发布机制,及时解读防控政策,大力开展健康科普。社会各界和人民群众主动承担社会责任,学习疫情防控知识和技能,践行少聚集、戴口罩、测体温、保持社交安全距离等疫情防控措施,有力推动了健康素养水平提升。

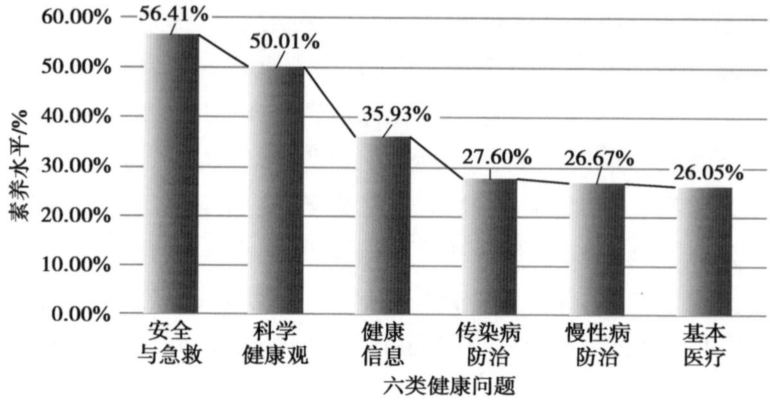

2021年全国居民六类健康问题素养调查结果

四、我国医学科普传播现状及发展方向

我国的医学科普传播途径多，但群众普遍倾向于通过互联网、电视或者通过亲朋好友接收医学信息，这些医学信息良莠不齐，群众一旦接受并相信了某些虚假的医学知识，将会对生活饮食方式造成不良影响，进而损害身体健康，甚至延误疾病的诊治。而现有的医学科普网站，内容主要是简单的图文展示，无法激发公众特别是年轻一代探索医学知识的热情，而公益性强、科学性高的依附在医学类高等院校或者医疗机构的医学科普网站仍未批量出现。随着微信、抖音、B站等典型的自媒体出现，互动网络时代的到来，以及健康界、科普中国等科普网站的建立，很多高层次的人才通过网络加入科普宣传的队伍，广泛传播科学知识，对于提高全民的科学知识起到很大的促进作用。人们可以随时随地选择上网，人们的生活更离不开网络，这对医学科普网站提出了新的要求。落实健康中国行动，广泛普及医学科普知识，需进一步加强对科学素质薄弱群体的教育，加强传播和普及工作力度，丰富医学科普传播的渠道、内容与形式。

（一）医学传播的价值与意义

任何科学的发展都离不开新知识、新技术的传播，医学科学也是如此。医学的发展离不开医学传播，医学新知识、新技术只有进行转化，才能真正地发挥作用，医学传播加快了医学知识技术的转化与传播过程，使各种先进的医学技术、医药产品尽可能短时间内通过各种交流活动投放市场，服务临床，造福患者。目前，国内临床医生获取医学信息的途径是丰富多样的，例如阅读专业学术期刊、学术著作，以及参加学术会议、网络学习等。尽管不同的临床医生对这些途径的取舍有差异，但各个途径均与医学传播紧密联系在一起。医学传播的目的是通过信息传播把有效安全的医学新知识、新技术、新药物等带到临床，带给公众，使人们从中获益。医务人员和医学科研人员、医药研发生产企业人员，共同担负着捍卫人类健康、保障社会稳定发展的重任。

（二）医学传播应该承担的社会责任

社会责任是社会法和经济法中规定的个体或组织对社会整体承担的责任，是由角色义务责任和法律责任构成的二元结构体系，主要涉及道德善（“正当”）和行为善（“应当”）。医学的发展与社会实践活动密不可分，生产方式的不断进步决定了医学的发展方向。医学不能脱离社会而独立存在和发展，它完全融于社会，包含于社会之中，因此，医学的社会性是医学传播承担社会责任的伦理基础。另外，医学目的规定着医学传播承担社会责任的必然性。医学目的的实现必须兼顾“效率”和“公平”：一是提高医学技术手段，为社会提供最大的产出；二是必须满足所有利益相关者的需要，公平对待所有的利益相关者。首先，从“提高医学技术手段”的角度来看，医学传播是提高医学技术手段的重要工具，没有医学传播，医学新知识、新技术就不能够得以交流共享，就不能实现转化，从而医学就不能真正地进步；其次，从“公平地对待利益相关者”的角度来看，“公平”本身就是伦理范畴，蕴涵着“应当”，它内在地规定着医学传播过程应遵循公平原则，应特别重视患者利益和医学发展需要。由此可见，医学目的与医学传播社会责任之间存在着必然联系，医学传播的社会责任并非外在的强加和附属，而是医学之所以称为“仁学”的有力保障，有其内在的道德承诺与伦理依据。同时，也证明了医学目的善与医学传播社会责任手段善之间相互规范与制约的关系。

（三）我国医学科普传播存在的问题

1. 医学科普传播主体定位不清　互联网时代的来临，几乎每个人都可以经常看到健康有关的信息。根据企鹅智库的统计数据，目前国内有 5 万多个健康自媒体，周阅读量逾百万，全网医疗信息日搜索近 8 000 万。这组数据足以表明随着经济社会的发展，国民对于医学科普信息的渴求不仅仅满足于了解健康常识，还希望能主动获取和学习疾病全周期所需的科普知识。我们应该知道，科学的、正确的科普信息对指导群众处理健康问题是极其重要的，医学科普传播的主体应该是医学科学工作者或者是医务工作者。然而这些所谓的“健康常识”“医学信息”，作者往往不是医务工作者，甚至不是专业的媒体工作者。由于没有权威人士的背书和缺乏科学依据来源，网络医学信息的缺失和错漏屡见不鲜。群众对于这类不客观、不权威的“科普内容”深恶痛绝，投放给公众的各种医学咨询急需科学的辨伪。

2. **医学科普传播渠道良莠不齐**　在互联网已成为普通民众获取医疗信息重要渠道的同时，公众对健康知识的渴求越来越迫切，但是来自不同渠道的健康信息良莠不齐，有的互相矛盾，有的准确性欠佳甚至全无科学依据，公众通常对此感到难以理解。由于各种因素，我们对信息来源甚至渠道的审核不够严格。而在主流权威媒体中，大量医学专家怀揣着对科普工作的热情推出相关作品，却因主流媒体版面安排有限难以进行推广。从整体上而言，国家缺少强有力的组织管理，这成为科普传播发展的又一瓶颈。

3. **医学科普作品表现形式单一**　当前科普作品表现形式的最主要问题是不够生动活泼，对于现代快节奏的生活方式而言，长篇大论、晦涩难明的医学信息使大多数读者望而生畏，难以激发读者的阅读兴趣。其次是医学科普的传播形式单一，主要采用单向传播方式，交流互动性比较差。许多科普工作者并没有对群众对科普信息的需求进行深度调研，大量的作品是“因有而发”，并非“因需而发”，因此医学科普作品的供给侧结构性改革迫在眉睫。

4. **医学科普传播经费投入不足**　长期以来，我国科普事业的经费投入无法得到保证，政府作为科普事业投入主体的现状得不到扭转，虽然近年来政府对科普的投入有了较大增加，但是经费来源渠道单一仍然困扰着科普事业的发展。由于经费不足，绝大多数专业的科普场馆等单位的费用只够作为工作人员的基本工资，工作经费缺乏，展品、设备陈旧老化，只能借助与科普无关的经营活动维持生存，严重削弱了自身功能。医学科普经费同样投入不足，较多医疗机构参与科普宣传，一方面是需要完成上级部门的科普指标，另一方面是为了吸引患者到本单位就诊。出于功利性目的来进行科普的现象较为普遍存在，医院只是勉强投入部分资金进行医疗义诊和宣教，没有稳定的资金来源渠道和制度保障，将无法保障医学科普传播的广泛与持久性。

5. **医学科普传播缺乏积极性**　虽然我国已经制定了科普相关的法律和政策，但是由于考核评价体系的缺失，医学工作者做科普与其工作考核、职称评定都不挂钩，“科普”在很多医疗工作者的意识里仍然是一个多余的“负担”，而无法真正把科普的工作落到实处。有关单位和人员把主要精力都投放在医学教学、科研和疾病诊治等涉及业绩增长的工作上，而或多或少地忽视了科普传播。高级医学人才对科普的意识观念不强，缺乏主动性。也正是由于对科普传播的积极性不高，造成了医学科普后备人才和知识储备的不足。

（四）医学科普传播的改进对策

正是由于我国目前医学科普传播存在的诸多问题，目前已无法满足广大人民群众的需求。只有明确医学科普传播的主体，对医学信息进行深度的辨伪评价，进一步丰富医学科普作品的表现形式，稳定医学科普传播的资金投入，建立专业的医学科普传播队伍，才可能促进医学科普传播工作的全面发展。

1. **明确医学科普传播的主体，对医学信息进行深度辨伪** 我们应该明确医务工作者或者医学科研工作者在医学科普作品产出或是在信息传播中的“审核员”地位，任何缺失专业人员的医学科普作品都不应该进行传播。传播应坚持真实性、合法性、效用性、公益性等基本原则。

首先，医学传播的内容应是真实的，任何医学信息的传播都应基于客观真实的基础之上，坚持真理、实事求是、传播真实的医学信息是医学传播最重要的原则，虚假的医学信息严重危害人类健康安全和社会稳定发展；其次，医学传播手段应是合法的，医学传播的主要手段包括发表期刊学术论文、出版学术著作、举办学术会议、网络信息传播等，不同的传播手段均有其相应的规则，均应符合相应的制度要求和法律规定；再次，医学传播的信息应具有效用性，应有益于疾病的防治，能够促进医学的发展；最后，医学传播的目的应具有公益性，服务大众、推动医学发展是医学传播的主要目的，任何的医学传播过程都不能简单地将追逐经济效益作为其最终目标，还应顾及社会效益。医学传播的社会责任不是单一的，而是多方面的，它应将医学传播的真实性、合法性、效用性、公益性等内容贯穿其中，从这些医学传播原则的角度来讲，医学传播的社会责任主要包括法律责任、道德责任、经济责任和公益责任等方面，其中法律责任和道德责任最为重要。法律责任是医学传播社会责任的底线，同时也是基础。医乃仁术，是健康之所系，医学传播的内容必须是真实的、合法的，医学传播的手段也必须是合法。我们应该对医学科普传播渠道的效果制订有效的评价机制。

2. **丰富医学科普传播方式及科普信息表现形式** 针对医学科普传播方

式单一性，现代医学科普传播要充分有效地利用互联网、手机等新型传播媒体，构建医学科普传播矩阵，方便科普知识的传播和交流。其次是加强传播媒介对医学科普知识的教育和传播。媒体有义务和责任面向公众宣传医学科普知识，也应给医学科普多留出一些版面、镜头和黄金时间。还可以通过公益广告、健康栏目等方式向公众宣传科普知识，有益于基层群众特别是偏远地区民众接受医学科普知识的教育。再次是在提倡全民素质教育的大前景下，从基础教育到高等学校教育都应该重视科普知识的传播和人们防病意识的提高。基本的医学科普知识传播，小学、中学就应该开展，有益于提高学生的科学素质，学生受教育后又可回到家里向父母传达，逐渐起到公共教育的目的，这对于偏远地区的教育尤其具有深远意义。最后，教科书式的说教很难被广大群众所接受，医学科普作品要求通俗易懂和生动活泼。通过大力提高医学科普传播工作者的文学艺术素养，借鉴漫画、相声、小品、舞台剧等表现手法来创作医学科普作品，可让这些通俗易懂的医学科普作品走进千家万户，让更多的民众可以接触前沿的医学常识。

3. **稳定医学科普资金来源渠道**　在发达国家，政府对科普的经费支持主要起杠杆作用，目的是带动民间机构对科普活动和科普组织进行捐赠。我国需要加强国家对社会资金的引导，通过多渠道、多层次筹措资金，鼓励社会力量参与医学科普基础设施建设和运行服务，也可通过相应的引导政策和法规，形成相对稳定的医学科普资金来源渠道。另外，科技主管部门在加大对科学研究立项资助额度的同时，也需要不断增设科普宣传项目的立项与资助，并将科普立项纳入评定职称的材料，促使科技人员有开展科普宣传的稳定资金，同时增加医学科技人员参与科普的积极性。政府有关部门需要制定相关的政策，规定各类医学院校、各级医院需要对医学科普传播进行相对稳定和一定比例的资金投入，并对科普工作开展情况进行考核，将考核结果直接与上级部门下拨的各类经费挂钩。

4. **加强医学科普传播队伍建设**　提高医学科普传播效率，必须要有高素质的医学科普传播队伍，加强医学院校复合型医学科普人才队伍的培养是关键，如何改革我们的教学观念，如何提高医学生医学科普传播的能力是我们要面对的迫切问题。医学院校是培养医生的摇篮，拥有深厚的医学底蕴、丰富的医学知识，是推动人民健康素养提升的主力军。在医学理论教学和临床实践中融入医学科普传播能力训练，培养医学科普意识，促使医学生掌握系统理论的医学专业知识同时，能够将专业知识讲得通俗易懂，也就是把医学专业知识变为让公众或患者容易接受的医学科普知识。这样才有助于医学科普传播队伍建设，为医学科普传播提供人才保障。

另一方面，我们还要进一步加强现有医护人员队伍的科普力量，我们需要制定实行面向医学科普研究、医学科普创作、医学科普宣传人员的专项激励政策，在职称、职务、分配、奖励等方面把科普与教学和科研摆在同等地位，激发医学工作者的科普积极性，吸引更多的优秀人才关心、支持、参与医学科普宣传，建立一支由高层次医学专家引领，以医务工作者、科普工作者及教育工作者为主体的，社会各界人士共同参与的医学科普传播人才队伍，推进医学科普传播工作的规范化、标准化、学术化。

从目前的现有政策层面来看，对促进科技科普发展的激励政策包括促进医学科普发展的激励政策是相当薄弱的，教育部门、卫生主管部门、相关医学类院校及各级医院等有关机构需要在我国现有的科普法和相关科普政策基础上，研究制定促进医学科普传播的政策和具有可操作性的制度和规定，包括激励政策和人才培养政策等，促进医学类高等院校和各级各类医院积极承担起相应的医学科普传播责任和义务。2017 年，山西省召开全省卫生系列高级职称评审工作会，其中一条措施引起了全国的热议：为鼓励更多的医疗专业人员投入到健康教育及科学普及工作中，山西省卫生计生委在全国率先把撰写科普文章纳入了 2017 年度全省卫生系列高级专业技术职务任职资格评审条件。

参考文献

[1] 张燕 . 十六大以来党的“以人为本”执政理念的体现——以政府工作报告中的民生举措为例 [J]. 福建论坛 (人文社会科学版), 2012, 32 (S1): 130-131.
[2] 新华社 . 中共中央国务院印发《“健康中国 2030”规划纲要》[EB/OL].(2016-10-25)[2022-5-20] http://www. gov. cn/zhengce/2016-10/25/content_5124174. htm.
[3] 国务院 . 关于印发全民科学素质行动规划纲要 (2021—2035 年) 的通知 [EB/OL].(2021-06-03)[2022-5-20] http://www. gov. cn/gongbao/content/2021/content_5623051. htm.

第三章　医学传播学的基本要素

课程要求

1. 熟悉医学传播学的基本要素
2. 掌握医学传播的基本流程

传播行为是人类社会生态系统中最基础的活动，是动态的、互动的人类行为，其借由信息的交换及识别，产生个体与群体行动。医学传播，顾名思义，便是研究与医学有关的一切传播活动，其作为一类传播活动，具有一般传播行为的基本要素。1948 年，哈罗德·拉斯韦尔（Harold Lasswell）提出传播过程的基本流程及 5 个基本构成要素：谁（who）、说了什么（what）、通过什么渠道（in which channel）、对谁说（to whom）、取得了什么效果（with what effect），即传播学中经典的“5W 模式”。

“5W 模式”揭示了传播活动的基本逻辑，即“传播者→内容→渠道→受众→传播效果”，全面地展现了传播活动的整个流程。以此视角切入，医学传播同样包括传播者、传播内容、媒介渠道、受众及传播效果等基本要素，是相互作用、循环往复的过程。接下来，将详细介绍医学传播学中的 5 个基本要素。

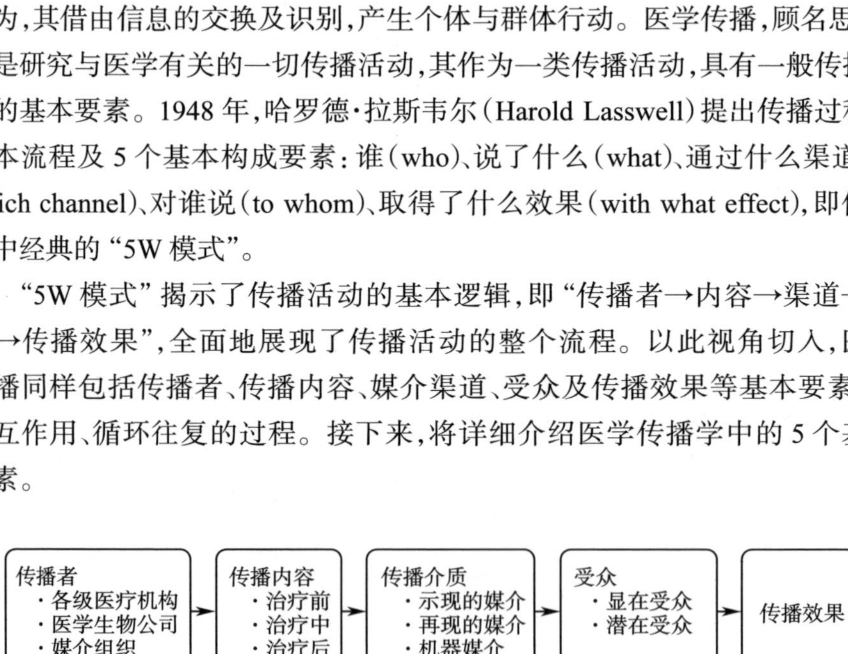

医学传播学中的 5 个基本要素

一、传播者

传播者，又称信源，是传播行为的引发者。在社会传播中，传播者可以是个人，也可以是群体或者组织。传播者处于信息传播链条的首端，担任着信息的收集、加工和传递的任务，对信息的内容、质量与流向起着重要的控制作用。医学传播的传播者可以粗略分为3个类别，即各级医疗机构、医学生物公司、媒介组织。

（一）各级医疗机构

最主要的传播者是各级医疗机构，医疗机构是指依据《医疗机构管理条例》和《医疗机构管理条例实施细则》的规定，经登记取得《医疗机构执业许可证》的机构，主要从事疾病诊断与治疗活动。《医疗机构管理条例实施细则》将其分为12个类别：①综合医院、中医医院、中西医结合医院、民族医院、专科医院、康复医院；②妇幼保健院；③中心卫生院、乡（镇）卫生院、街道卫生院；④疗养院；⑤综合门诊部、专科门诊部、中医门诊部、中西医结合门诊部、民族医门诊部；⑥诊所、中医诊所、民族医诊所、卫生所、医务室、卫生保健所、卫生站；⑦村卫生室（所）；⑧急救中心、急救站；⑨临床检验中心；⑩专科疾病防治院、专科疾病防治所、专科疾病防治站；⑪护理站；⑫其他诊疗机构。

在医学传播过程中具体的传播者，通常是专业的医护人员，具体包括医生、护士，以及技师等处于临床一线的医疗工作者，因其掌握专业技能在其间起到主导作用，确保传播内容的科学、准确、客观。各机构下属的宣传部门，则起到重要的辅助作用。医学传播的目的是通过信息传播把有效安全的医学新知识、新技术、新药物等带到临床，带给患者，使患者从中获益。各级医疗机构中的医务人员和医学科研人员共同担负着捍卫人类健康、保障社会稳定发展的重任。面对着种种疾病和健康疾患的威胁，医学新技术成果的研究及新药品器械的创新、研发和正确应用显得格外重要，而各级医疗机构是医学信息的主要占有者，同时也是医学传播的组织者、管理者和实施者。

医学治疗必须在医患互动情境下才能发挥作用，医患双方的有效沟通被认为是保证医疗质量、满足患者需求和期望的前提。现在，一些患者对医生的服务态度不满意，很大程度上并非对治疗方法有意见，而是在医治过程中医生与其沟通交流不够，这从侧面点明了医生作为传播者的重要性。有研究表明，临床中大量的医患之间的冲突、纠纷与沟通不畅有关，其中医生沟通技能的欠缺是重要原因。侯胜田、王海星通过结构式调查问卷，对全国 16 个省、3 个自治区、2 个直辖市的 59 所不同等级的公立医院管理人员及医护人员进行了调查，结果显示几乎没有被访者认为医患沟通一般或不重要，且没有被访者表示对当前医患沟通工作非常满意。在造成医患沟通障碍的微观因素当中，医患沟通技巧欠缺是排在前 5 位的影响因素，84.87% 的被访者认为需要加强医务人员医患沟通技能的培训。研究结果还显示，医疗工作者作为专业且权威的传播者，在传播医疗信息时更易取得公众的信任，民众会将主要医疗机构和医生作为信息来源。

因此，作为医学传播的最主要传播者，一线的医学工作者不仅需要对疾病进行诊断与治疗，同时需要在诊疗过程中将艰涩难懂的医学知识加工转化成通俗易懂的医学信息，积极主动地与患者沟通，让患者能理解易践行，由此建立起医患间彼此信任的关系。此外，医疗机构还应充分应用其专业优势进行医学常识及疾病防治等内容的科普，在科普材料的选择与加工上注意其科学性、适用性与通俗性的有机统一，以此积极引导公众维护自身健康。这就要求各医学院校在培养医学生时，不能仅局限于对专业知识和临床技能的培养，还应注重对人文素养的教育。各级医疗机构也应加强医学人文的建设，可以通过开设人文沟通培训课程、沟通案例分析、观摩学习及完善相关的考评制度等方式实现。

（二）医学生物公司

医学生物公司主要是指以医疗卫生和生物技术为基础，为社会公众提供医疗健康服务的经营单位，可细分为医疗服务、医疗器械、创新药、医药研发、生物制药、中药、特色原料药、连锁药房、互联网医疗及医美等类别。

医学生物公司因其自带的研发、开发等属性，掌握着医疗行业的前沿信息，已成为医学传播的传播者之一。医疗临床技术的进步在任何时期都受益于医药企业，医药企业除了通过积极研发新的药物、新的医疗器械服务于临床，拯救患者生命，治疗病痛，提高患者生存质量外，还致力于临床医生培训、各种学术交流，促进了医学科技的发展。因此，在医学传播的实践过程中，医学生物公司是关键角色。首先，各医药研发公司通过发表学术论文、举办前沿讨论会以实现医学传播的目的，但此种方式准入门槛高，大多限于同行之间的交流；其次，医药公司通过组织线下义诊、网络问诊、线下推广等活动，满足受众的医疗服务需求；最后，部分医药公司还会选择与传媒公司合作。

但需要注意的是，医学生物公司在进行医学传播时需注意合法性、客观性以及公益性的统一，不能过分夸大药品的成分和效果，诱导公众消费。医学传播的内容必须是真实的、合法的，医学传播的手段也必须是合法的。对于医药研发单位和医药企业来说，任何医疗药品、器械在传播推广之前都必须经过严格的基础实验和临床测试，并取得相关的合法手续，以确保其具有真实的效用性，这一点不仅需要医药研究单位和医药企业的自律，还需要相关管理部门的严格监督管理。医药研究单位应严格贯彻相关的实验标准和测试准则去研制新的医药产品，医药企业应将保证产品质量作为企业生产的终极目标，医药监督管理部门则应根据相关的标准法律文件对医药产品进行监督管理。

（三）媒介组织

媒介组织包括报纸（如《生命时报》《养生中国》）、电视（如《养生堂》《健康之路》等电视节目）、社交平台（如微博、微信等）等。随着人民群众生活水平和文化水平的大幅度提高，公众对于养生和保健、疾病预防和治疗乃至医院人文关怀与服务水平等都十分关注，医学科普传播也受到公众的高度关注。医学正逐步从实验室、医疗机构的象牙塔中走出来，通过各种媒介和科普传播，渗透到公众的生活中来。公众可以通过媒体报道获得更多健康及医疗知识，各种通俗有趣的信息形式能降低医学知识的认知门槛，使公众更易接受和理解。媒介组织进行医学传播的范围不仅限于向医务人员提供医学信息，还包括向患者及整个社会宣传普及医学知识，加强公民健康教育。

中国科学技术协会公布的第九次中国公民科学素质调查结果显示，2015年中国公民对医学方面最新科学进展的关注率达到69.8%。媒介组织也高度注重新闻宣传，提高对医学科学的普及传播。与医疗卫生相关的媒体报道数量呈现出较快的增长态势，医学知识、医疗技术、医疗风险、医学规范等内容越来越多地被媒体报道，医学科普知识正通过新闻媒体的传播走向社会大众。只有拓宽医学传播的范围，加强医学知识普及宣传，将医学信息传递给患者，乃至整个社会群体，才能帮助人们了解哪些行为是影响健康的，并能自觉地选择有益于健康的行为生活方式。

医疗卫生事业关系着广大群众的切身利益，但目前仍然存在以下问题：个别媒体为了追求流量刻意制造话题，炮制健康谣言引起公众恐慌或对医患纠纷进行不客观报道；部分媒体工作者由于缺乏相关医学知识，在不能辨别医学知识真伪的情况下就发布相关信息，误导了公众。因此，当媒介组织作为医学传播者时，应当邀请专业的医学专家作为信息的“把关人”，对所发布的信息进行核查，以保证信息的正确性和客观性。媒体自身也要加强自我监管和自律性，不能为了赚取浏览量而夸大或曲解医学信息。

二、传播内容

传播内容是由一组相互关联的有意义的符号组成，能够表达某种完整意义的信息，是传播者和受众之间社会互动的介质，通过讯息，二者之间发生意义的交换，达到互动的目的。医学传播属于广义的健康教育范畴，是人类健康建设计划的组成部分，健康教育的核心是教育人们树立健康意识，促使人们改变不健康的行为生活方式，养成良好的行为生活方式，以降低或消除影响健康的危险因素。医学传播的内容极为丰富，根据具体实际情况，开展有针对性的医学科普工作，才能切实提高大众的医学科学素养。医学传播的内容包括与医学相关的知识、观念、技能和治疗模式等，具有一定的专业性，可以根据医学治疗的过程，大致将其分为以下 3 个阶段：治疗前、治疗中、治疗后。

（一）治疗前：预防为主

治疗前阶段主要是侧重日常医学类信息的科普与健康教育，包括健康常识、疾病预防知识、急救技能、就医知识等。健康常识主要是指如饮食、睡眠、运动等与日常生活息息相关的基础性健康知识。健康常识是健康素养的知识层面的重要组成部分，掌握健康常识有助于受众践行健康的生活方式，促进健康。

疾病预防知识主要包括传染病预防、慢性非传染性疾病预防、职业病防治等。根据中国疾病预防控制中心的定义，传染病指的是由各种病原体引起的能在人与人、动物与动物或人与动物之间相互传播的一类疾病，例如由新型冠状病毒引发的新型冠状病毒肺炎，由人类免疫缺陷病毒引起的艾滋病、由结核杆菌感染引起的结核病等。慢性非传染性疾病是指病情持续时间长、发展缓慢的疾病，包括心血管疾病、癌症、慢性呼吸道疾病以及糖尿病 4 个主要类型。职业病主要是指由于个人职业环境或职业需要所引起的相关疾病，如放射工作所引起的放射损伤、工作中长期吸入生产性粉尘所导致的尘肺病。疾病预防知识的有效普及能使公众自觉采取有利于健康的行为，预防疾病的发生。从而实现医学治疗的关口前移，筑牢“预防为主，以防为治”的防线。

急救技能指的是不需要或很少需要医疗设施，对处于危急险情况下的患者采取的急救措施，常见的急救技能有心肺复苏、海姆立克急救法、外伤止血等。有效的急救技能可以为患者赢得宝贵的抢救时机，能有效降低意外伤害导致的伤残可能性。

就医知识的内容则包括就医相关的整个过程，包括就医选择、就医流程、与就医相关的制度、法规等。就医知识的掌握是科学就医的第一步，根据自身疾病情况选择相适宜的医疗资源和服务能更便捷有效地解决健康问题。

（二）治疗中：疗愈为先

治疗中阶段的传播活动很多发生在医患面对面过程中，由于受到诸如唯科学主义下医患关系的物化、医患双方信息不对称等宏观因素的影响，以及医务人员缺乏沟通技巧、交流时间受限等微观因素影响，医患双方在沟通时往往会出现矛盾与冲突。因此，医护人员与患者应该充分沟通，建立起以疾病疗愈为目的信任关系。

治疗中的传播内容应当主要包括两个主要内容，医学信息交换及社会情感交流。医学信息交换主要是医学诊断过程中所涉及的医疗知识、诊疗方案、诊疗过程。具体应包括所患疾病诊断情况、主要治疗手段、重要检查目的及结果、病情转归及预后、某些治疗可能引起的严重后果、药物不良反应、手术和可能出现的并发症及防范措施、医药费用清单等，同时要积极回应患者及家属的问题及建议。社会情感交流主要是增进彼此理解的交流，医生对患者的情感慰藉，缓和患者焦虑紧张的情绪，建立治疗疾病的信心，医患之间通过言语和非言语交流来分享信息、意义和感受的过程。

（三）治疗后：护理为要

治疗后的传播内容主要包括疾病康复及家庭照护两个方面。疾病康复的内容主要包括患者回家后药物的服用剂量及频次、饮食起居需要注意的事项、疾病复查的时间、后遗症的康复方法等。家庭照顾的内容则主要是家属护理患者的相关知识。

值得注意的是，医学传播主要内容除了以上提及的疾病防治及康复预防知识、养生保健知识等，还应包括医疗卫生政策法规知识、医改及医疗保险等相关知识，使大众了解医疗卫生发展状况，依法就医维权。此外，也需要对国内医疗技术、医药成果等技术运用状况等进行知识普及，让民众认识医疗技术的效果及局限、风险性，以及心理因素、社会环境因素等对于疾病及治疗康复的影响性等，进行比较全方位的医学科学普及。总而言之，拓宽医学传播的范围，在较深、较广层次上进行医学知识的宣传普及，提升人类的健康意识既是医学传播的主要任务，也是实现医学传播目的的前提。

三、传播介质

传播介质又称为传播渠道、信道、手段或工具，是传播内容的搬运者，也是将传播过程中的各种因素相互连接起来的纽带。美国传播学家汉诺·哈特（Hanno Hardt）根据媒介出现的先后顺序将其分为 3 类：①示现的媒介系统，即人们面对面传递信息的媒介，主要指人类的口语，也包括表情、动作、眼神等非语言符号；②再现的媒介系统，包括绘画、文字、印刷和摄影等。在这一类系统中，对信息的生产和传播者来说需要使用物质工具或机器，但对信息接收者来说则不需要；③机器媒介系统，包括电信、电话、唱片、电影、广播、电视、计算机通信等。这些媒介，不但传播一方需要使用机器，接受方同样也必须使用机器。根据此分类对医学传播的传播介质进行分类。

（一）示现的媒介

在医学传播中主要形式是线下问诊和医学知识讲座。线下问诊是最为传统的医学沟通方式，医疗专业人员与患者面对面沟通，医疗专业人员能快速准确地完成患者的疾病评估，患者也能及时表达对疾病的疑问及治疗期望，该种方式诊疗效率高，信息量大，不仅有语言传递，同时面部表情与肢体动作等非语言行为也能传递丰富的信息。但同时存在着沟通时间短、范围窄的限制，不利于医患间深度交流与信息的跟进。医学知识讲座是医学传播最为常见的传播方式之一，讲座在选题时可根据受众人群的不同进行针对性选题，例如对女性群体，进行乳腺癌、宫颈癌等疾病的预防教育，具有针对性强、互动性好、传播面较广等优势。

（二）再现的媒介

主要的形式有书刊、报纸、宣传册、传单、标语、张贴画、墙报及专栏等。上述几种形式可起到普及卫生知识的作用，适用范围广，但是也存在互动性弱、传播效果难以确定等缺陷。在使用时可以根据不同的地点来设计宣教材料，例如社区的健康宣传栏中，选择季节病、慢性病、多发病等的主题作为宣传内容更具适用性。对于医院而言，不同的科室和院区则可根据各自的属性特点来进行宣教，例如在妇产科，便可通过健康宣传栏、生育健康宣传册等方式有针对性地向女性及其家属开展健康教育。

（三）机器媒介

电视、广播可以通过开设健康医学专栏来进行医学传播，例如《养生堂》《健康之路》等节目，其具有传播范围广、传播效率高等优势。同时，新媒体的出现为医学传播带来了更多的机会，以新媒体为媒介的健康教育能够较好地应用于临床护理、患者教育和行为干预。主要的新媒介包括医疗健康网站、微信、微博等社交软件，其消解了时间与空间的局限性，具有强交互性及丰富性。根据邓朝华和洪紫映的分类，医疗健康网站可分为以下 4 类：①健康门户网站，为公众提供医疗健康的相关信息；②导医服务类网站，专业的医疗工作人员可通过网站为公众提供远程的在线问诊服务，包括文字咨询与电话咨询；③医学类健康网站，可以查询医学知识和文献，主要为医学科研人员、医疗工作者和医学院师生提供服务；④电子商务类健康网站，可实现药品和医疗的在线交易。

各社交软件也能实现医学信息的便捷检索，同时还为在线健康社区的形成提供了平台，如自行组织的各类微信群、微博或豆瓣的各类疾病超话社区等。在线健康社区，为公众提供了一个搜索并发布个性化健康信息、交流疾病相关治疗经验和互相提供情感支持的重要在线场所，将人们获取健康知识的方式从传统的“医生 - 患者”的面对面咨询模式拓展为“医生 - 患者”“医生 - 医生”“患者 - 患者”的多元互动模式。

四、受众

受众又称为信宿，即讯息的接收者和反应者，传播者的作用对象，其可以是个人，也可以是群体或组织。社会公众均是医学传播的受众，受众的特征具有广泛性，存在社会背景（如经济收入水平、文化水平、所在群体的文化道德规范等）及个人背景（如性别、年龄、固有观念、生活方式等）方面的区别，但根据医学传播的具体需要及传播计划，可以将受众分为显在受众及潜在受众。

（一）显在受众

医学传播的显在受众主要指因疾病或高易感性而迫切需要接受相关医学知识的人群，主要可以分为确诊患者与患者家属。确诊患者的信息需求包括疾病的认识、病情的严重程度、治疗方式、疾病预后、心理慰藉与疏导等多方面，与确诊患者沟通是医学传播的重中之重，具有医学信息针对性强、短期传播效果显著等特点。

患者家属的信息需求主要包括两个方面：①科学护理患者的注意事项和方法、患者病情的严重性以及相关的医疗保障信息等；②对相关疾病的认识及预防，尤其是具有遗传性或家族性的疾病。因此，需要根据具体疾病防治实际，进行有效的医学科普宣教，如针对儿童家属传播儿科疾病防治预防及保健知识，针对骨科病患家属传播骨关节、脊柱与骨伤等疾病的防治康复知识等，满足患者及患者家属的需要，更好配合医疗康复。

（二）潜在受众

健康人群均可作为医学传播的潜在受众，不同的健康人群具有不同的医学信息需求。主要可包括医学常识、健康生活方式、常见病及传染病的预防与治疗、保健类消费品的认知等多个方面。潜在受众群体庞大，对其进行医学宣教意义重大，可将群体细分（如细分为儿童群体、老年群体、吸烟群体等），有组织性有针对性地进行医学健康知识的宣教，以此引导受众摈弃不健康的生活方式，从而实现疾病的预防，将治疗的关口前移。另外，提高健康人群的医学知识水平，能使其具有参与医疗行为的能力，在医疗诊治过程中能配合医生，使诊疗效果达到最优。

对于社会最广泛大众的医学科普传播，不仅需要传播健康保健知识，更需要提高社会公众医学素养，特别在突发卫生事件中，有利于及时向公众传播事件状况以及防范措施，减少社会恐慌，遏制事态蔓延，及时有效处理突发事件。一方面，媒体公众，尤其是权威新闻媒体，更需要普及了解医学知识，正确科学进行媒体传播，以免误导社会公众，形成不良的舆论影响；另一方面，在医疗事故纠纷发生后，对于政府部门，尤其是主管的政府部门进行有关医学科普传播，卫生政策法规的传播，有利于政府部门认识医疗疾病知识及医疗规范及风险性，科学理性处理医疗事件。

五、传播效果

传播效果是信息到达受众后在其认知、态度、行为等层面所引发的反馈，是检验传播行为是否有效的主要标准。杜建波将健康传播效果分为 4 个层次，即知晓健康信息、对健康信息的信念认同、态度向有利于健康的方向转变、采纳健康的行为和生活方式。沿此路径，医学传播的效果同样可以划分为 4 个层次，即知晓医学信息、对医学信息的信念认同、态度向医学信息建议的方向转变、采纳或践行医学信息所倡导的行为和生活方式。

医学信息知晓是最基本的传播效果，即受众知晓了相关的医学知识，有助于其认识疾病、扩大经验范围，可达到与传播者的信息共享。医学信息知晓的基本要求是客观正确，是个人健康素养和医学素养的重要组成部分。在医患沟通中体现在患者能正确知晓医生所传播的信息。受众知晓医学信息后，对信息中所倡导的行为方式进行理解，从而认同信息中所提及的人、事物或者做法。于是受众能被有效调动起来，形成正面态度，最终演变为具体的行动。行为的改变是医学传播效果的最高层次，也是传播的最终目的。在医患沟通上具体表现为患者遵医嘱、配合诊疗。

医学传播的目的是倡导健康生活观念与健康生活方式，起到预防和促进健康的作用，因此，开展社会化的医学科普传播很重要，各方传播主体应开展全方位多渠道的医学传播工作，让医学知识走近社会大众，倡导医学精神与科学方法，发挥促进社会公众健康的效用。在进行具体的医学宣传工作时，可以采取多种形式，与媒体合作进行社会健康知识宣教，针对不同传播对象采取个性化的宣教方式，以此达到积极的传播效果。

课后习题

1. 请列举医学传播的五大基本元素。
2. 请简述医学传播的主要过程。
3. 请简述医学传播的媒介渠道主要可以分为几类？请详细说明。
4. 请简述医学传播效果可以分为几个层次？

参考文献

[1] 杜骏飞，周玉黍．传播学的解放 [J]. 新闻记者，2014, 379 (9): 33-39.

[2] 郭庆光．传播学教程 [M]. 2 版．北京：中国人民大学出版社，2011: 39-81.

[3] 贾书心．培育医者人文素质构建和谐医患关系 [J]. 中国医学伦理学，2011, 24 (2): 205-206.

[4] 王海燕．微博健康信息的传播效果分析 [J]. 全球传媒学刊，2015, 4 (3): 107-126.

[5] 李芳，李义庭，刘芳．医学、医学教育的本质与医学人文精神的培养 [J]. 医学与哲学 (人文社会医学版), 2009, 30 (10): 66-68.

[6] 朱耀明．浅谈医疗活动中的医患沟通与交流 [J]. 中华医院管理杂志，2004, 20 (10): 61-62.

[7] 许艺凡，马冠生．新媒体在健康传播中的作用及评估 [J]. 中国健康教育，2018, 34 (1): 62-66.

[8] 邓朝华，洪紫映．在线医疗健康服务医患信任影响因素实证研究 [J]. 管理科学，2017, 30 (1): 43-52.

[9] 张星，夏火松，陈星，等．在线健康社区中信息可信性的影响因素研究 [J]. 图书情报工作，2015, 59 (22): 88-96, 104.

[10] 宋林子，张建，吴宇彤，等．医患关系模式对医患关系影响的调查与探讨 [J]. 中国医院，2010, 14 (1): 33-35.

[11] 杜建波．健康传播策略研究 [M]. 天津：天津科学技术出版社，2018: 56-112.

第四章　医患关系沟通模式

课程要求

1. 掌握医患沟通的经典模式。
2. 区别3种医患沟通的经典模式。
3. 掌握医患沟通的中国特色模式。

著名的医史学家亨利·西格里斯(Henry Ernest Sigerist)曾提出:“每一个医学活动始终涉及两类当事人:医师和病员,或者更广泛地说,医学团体和社会,医学无非是这两群人之间多方面的关系。”

医患关系,是所有医疗关系中最为基础的关系,有狭义与广义之分。狭义的医患关系是指传统意义上医生与患者因疾病诊疗而形成的关系;广义的医患关系则是指医方群体(包括医生、护士、医技人员、医院后勤及政务人员等)和患方群体(患者及其家属等)在治疗疾病的过程中所形成的相互关系。医患沟通贯穿于医疗活动的全过程,是医患关系的主题。

医患关系中的“医”和“患”有狭义与广义之分。因此,医患沟通也有狭义与广义的内涵。狭义的医患沟通指的是一线医务人员在诊疗过程中,与患者及家属就伤病、诊疗、健康及相关因素(如费用、服务等),主要以诊疗和服务的方式进行的沟通交流;广义的医患沟通是在狭义医患沟通的基础上衍生出来的,指的是各类医务工作者、卫生管理人员、医学教育工作者及医疗卫生机构,围绕医疗卫生和健康服务的法律法规、政策制度、医疗技术与服务标准等方面,以非诊疗服务的各种方式与社会各界进行的沟通交流。

那么,医患之间有哪些沟通模式呢?不同的模式之间又有什么区别?为了回答上述两个问题,本章详细介绍了医学界广泛认同的医患关系模式以及具有中国特色的医患关系模式。

一、经典模式

目前，被医学界广泛认同的医患关系模式主要来源于托马斯·萨斯（Thomas Szasz）和马克·霍伦德（Marc Hollender）所提出的3种模式，其主要是依据医患双方的传播地位及互动程度来划分，分别是主动-被动模式、指导-合作模式及双向参与模式。

（一）主动-被动模式

主动-被动模式是传统医患观念的指导下形成的医患沟通方式，是“医生为中心”的沟通模式，最显著的特点就是医生在诊疗过程中完全占据主导地位，患者在沟通过程中丧失话语权，只能被动地接受医生的诊疗意见。在此过程中，医生的权威性及专业性不容置疑，患者也由此丧失了知情权和选择权。该模式类似于父母与尚年幼的孩子之间的相处模式，其优点在于医生的专业能力得到了充分体现，诊疗的效率高，但弊端也显而易见，该模式剥夺了患者在诊疗过程中的参与度，缺乏医患间的互动沟通，可能会有医患纠纷的隐患。主动-被动模式主要适用于紧急状况下的医疗抢救，如患者因病已丧失意识及自主能力，需要立即采取医疗措施的突发情况。

（二）指导-合作模式

指导-合作模式与主动-被动模式相比，虽然医生仍然占据沟通过程中的主要地位，仍具权威性和指导性，但患者能在一定程度上参与诊疗过程，具有一定的自主权和知情权，比如主动向医生提供必要信息或表达自己的疑问及想法。主要特点是医生告诉患者应该做什么和怎么做，患者予以理解和配合。该模式类似于父母与青少年儿童的沟通模式，优点是诊疗过程中具有互动性，能激发患者参与疾病诊疗的积极性，提高医疗诊治的治疗效果。缺点是医患双方仍处于不平等的沟通地位，医方依然是主导方。指导-合作模式主要适用于患者意识清醒状态下的急性病或急性传染病的情形。

（三）双向参与模式

双向参与模式是“以患者为中心”的沟通模式，主要特点是医患双方处于相对平等的沟通位置，医生充分听取患者想法，双方均积极主动地参与到疾病的诊疗过程，共同做医疗决策，商定医疗方案。患者在此过程中具有对自己疾病的知情权和治疗方案的选择权，医患双方是合作关系，类似于成人之间的互相协作关系。这种模式能最大限度地促进医患双方的互动和交流，提高患者的就医满意度，但是这种模式要求患者熟悉自身疾病，具有一定的医学知识，能在疾病治疗中做出正确决策。双向参与模式主要适用于患者症状较轻或是患有慢性疾病并且自身医学素养较高的情形。

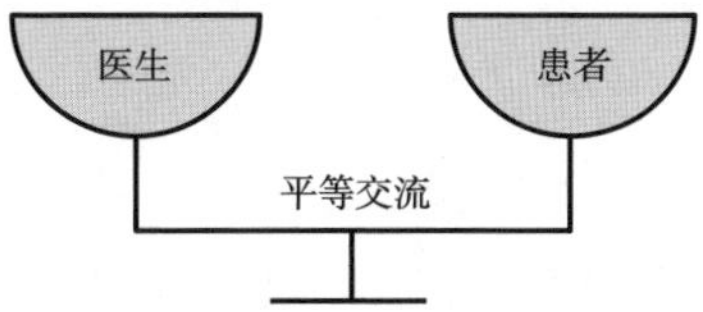

医患间的平等交流将最大程度促进互动与交流

二、常用模式

目前，国外学者提出的医患关系及沟通模式主要有三功能模式、E4 模式、四习惯模式、Macy 模式、SEGUE 框架、卡尔加里 - 剑桥观察指南、SBAR 沟通模式，以及以患者为中心的临床策略。

（一）三功能模式

美国学者诺瓦克（Novack）提出的“三功能模式”，由建立医患关系、评估患者问题、管理患者问题这 3 个阶段构成。

1. **建立医患关系** 医生切勿急于进入诊断过程，而是应拉近医患距离，比如医生见到患者时要问候、握手并自我介绍，以积极的态度感染患者，营造愉快的沟通氛围，通过以尊敬与同情的态度对待患者进而建立起医患信任。

2. **评估患者问题** 医生可通过语言沟通方式掌握患者病情及治疗需要，也要恰当使用非语言沟通，给患者足够的时间叙述病情。

3. **管理患者问题** 要求医生对症施治，保证患者能够遵从医嘱参与治疗，注意问诊时不能一次性提出一个以上的问题，而是给予适当的回应以便充分表现医生对患者的尊重等沟通技巧。

在三功能模式的基础上发展出了 Brown 访谈列表，它将医患沟通中的 32 种沟通行为划分为 5 个领域，即启动沟通、探索问题、进一步引导、关系技能和沟通结束。医生可根据需要选择性地采用列表中的方法与策略指导医患沟通的开展。

(二) E4 模式

长期以来，诊疗过程曾被认为是简单的"发现 - 修正"过程，而美国学者凯勒（Keller）等认为，医学任务除了要治疗疾病外，医生在与患者接触过程中还需要予以患者心理上的关怀，在疾病发展超出现有医学能力范围时减轻患者的痛苦或尽可能减少任何危险的结果，于是他在此认识的基础上提出了"E4 模式"，以突出了医患沟通在诊断治疗中的重要作用，进而纠正了原有医疗服务过程中过于简单的诊疗方式。

E4 模式由融入 / 参与（engage）、移情（empathize）、教育（educate）和合作 / 支持（enlist）4 个循环往复的要素环节组成，涵盖心理、社会学等行为。

1. **融入 / 参与**　是医生与患者建立医患关系的过程，医生要通过问答等行为引导患者向医师传递与自身疾病有关的信息，尽量询问开放式问题，设法使患者融入医患沟通当中，通过沟通引出病情，获悉患者对治疗过程的期望及目标并构建医疗议程。

2. **移情**　医生应当细致体察患者的感受，融入患者的角色，通过沟通表现同理心，对患者的倾诉做出积极合理的反应，比如注重倾听和有效的鼓励等，通过营造氛围缩短医患之间的距离，使患者感受到一个心理安全的环境。

3. **教育**　医患双方就医学问题进行沟通，医生通过评估患者的医药知识背景，进而对患者开展健康教育，包括回答患者关于自身疾病的问题、纠正患者对于自身疾病的认知偏差、向患者传递与疾病治疗有关的知识等。

4. **合作 / 支持**　包括决策和鼓励坚持两个过程，医生应当通过沟通与患者商定治疗方案，并通过协商以提高患者依从性，使患者服从医嘱、接受并配合治疗。

(三) 四习惯模式

弗兰克（Franke）的"四习惯模式"，将医患沟通分为开始接诊、获取患者信息、施以同理心、结束应诊 4 个阶段，并且描述了 13 项沟通技能，而在每项技能下又提出了若干沟通技巧和方法。开始接诊时，主要涉及快速建立医患关系、获知患者的担忧等；获取患者信息环节需要引出患者观点则涉及询问患者意见与请求，探索对患者生活的影响等；施以同理心则包括医生态度开放、注重肢体语言等；结束应诊则涉及提供诊断信息、患者参与医疗决策等。

与其他模式相比，该模式提出了具体的医患沟通技巧。如在接诊阶段，医生应按特定顺序进行开放式提问，还强调将移情作用融入治疗过程，指导医生在获取患者的病情信息外，更多关注患者参与治疗的心理感受。在医患沟通实践的研究中，四习惯模式对每阶段的沟通效果进行了预测，表现了出较高的信度和效度。

（四）Macy 模式

把医患沟通教育引入课堂的“梅西百货健康传播倡议”（Macy initiative in health communication）项目由利普金（Lipkin）组织发起，共有 3 所高校参与了此课程设计。学者们最初设计的临床医患沟通的总体框架主要包含建立沟通、会诊、健康教育 3 项核心技能。之后高校根据实际教学需要，在这 3 项核心技能基础上补充完善后形成临床医生通用的 Macy 模式。该模式将医患沟通过程分为 8 个环节，即沟通准备、开始沟通、信息收集、患者评估、医患交流、患者教育、协商与计划、沟通结束。

Macy 模式对每个环节医生应掌握的沟通技巧做了具体设计，还归纳了 8 项贯穿医患沟通过程的基础技能。例如，过程管理技巧，包括在信息收集环节医生如何使沟通具有组织性与逻辑性、良好的时间管理，以及先以开放式提问了解患者就医的原因，然后再以封闭式提问判断患者主要的症状及治疗需要；关系建立技巧，包括如何使用恰当的语言、使用非判断性的方式沟通、引导患者倾诉并认真倾听等，可概括为医生在沟通过程中需注重建立信任关系并控制整体流程。

（五）SEGUE 框架

SEGUE 框架来自于由美国西北医科大学编制并测试成熟的“SEGUE 量表”，它是一种基于研究的医疗沟通任务清单，也是目前广泛用于国内医生及医学生的医患沟通技能评价量表。其包含的医患沟通策略较为宽泛，为医患沟通的开展提供了基本框架，包括建立沟通、信息收集、信息提供、评估患者以及结束沟通 5 个基础环节、25 个小项，以及是否建议新的或修改治疗 / 预防方案的信息，共 6 个模块，32 个条目。

具体内容包括：①在准备阶段医生要有礼貌地称呼患者，说明此次问诊的理由和流程，涉及诊疗介绍、信任关系建立等；②信息收集阶段，医生应引导患者讲述其健康问题，系统掌握患者的病史、病情及疾病的影响因素等，涉及患者关于疾病的所有生理、心理信息，包括患者的生活水平、社会关系、生活压力，帮助挖掘疾病的危险因素；③在信息提供阶段，涉及医生对诊疗过程的解释及告知患者病情，医生应细致解释诊断的理论依据及诊断结果，并鼓励患者提问；④评估患者阶段，医生需注意与患者的换位思考，保持尊重患者的态度和行为，为患者提供心理上的疏导，体现医生的同理心；⑤结束问诊涉及对患者询问和下一步的诊疗方案，医生需补充询问患者是否还有其他需要。

值得注意的是，SEGUE 框架目前主要用于医学生的沟通教育与评价，包括测评医患沟通技能，比如该模式采用二分法来测评在沟通过程中医生是否完成了某项沟通任务。SEGUE 模式也可用于指导医患沟通过程，比如保护患者的隐私、表达关切与共鸣等。

（六）卡尔加里 - 剑桥观察指南

加拿大学者库尔茨（Kurtz）等提出了两个方案的医患沟通模式，被称作卡尔加里 - 剑桥指南，这种医患沟通模式详尽且具体。

第一个方案：分为 5 个维度，包括开始谈话、收集患者信息、提供咨询框架保证谈话的逻辑性、建立友好关系鼓励患者参与、解释病情制订方案与结束谈话。

第二个方案：解释病情和诊疗计划，共包括 7 个一级指标。而这 7 个指标通过 18 个二级指标和 71 个三级指标进一步展开。

这个沟通模式主要用于医患沟通教育，涉及的沟通策略主要有表达尊重、鼓励患者、注意倾听、阶段性总结、避免使用专业术语、分享见解及重复重要信息等。由于该模式简洁易懂，并且其测评结果容易记录，因而非常适合医学生的临床沟通实践。

具体而言，卡尔加里 - 剑桥观察指南汇集了临床沟通中的多种沟通技能，包括医生在沟通之初，应当初步与患者建立关系、确认患者就诊的原因；在信息收集阶段，需进一步探究患者的病因，充分了解患者的治疗期望；在诊疗过程中，应采用眼神、表情、动作等非语言沟通方式发展友善互信的医患关系，并基于患者病情做出合理解释，帮助患者理解病情，共同决策治疗方案达成治疗协议。

（七）SBAR 沟通模式

世界卫生组织 2006 年提出 SBAR 沟通模式，包括现状（situation）、背景

(background)、评价(assessment)和建议(recommendation)4个模块。

现状:即患者疾病的状态,包括症状和体征。

背景:涉及入院诊断及资料、病史等。

评价:指医生对患者的病情进行评价。

建议:是针对病情及状态给出诊疗建议,即处理措施等。

SBAR沟通模式已经过系统评价的方式证明的确可以有效提高诊疗的安全性。

(八)以患者为中心的临床策略

医学伦理学中一个重要的基本原则是尊重,以人为本、尊重生命也是医患交流过程中的突出特征。同其他沟通模式类似,斯图尔特(Stewart)提出的"以患者为中心的临床策略",由获得患者的疾病体验、了解患者、发现共同点、融入预防措施与健康促进、加强医患关系6个部分构成,强调整个治疗过程需要医生与患者充分交流。爱泼斯坦(Epstein)研究显示,以患者为中心的沟通策略虽然延长了诊断时间,但却能有效地减少诊断的费用,因此受到广大患者的青睐。以患者为中心的临床策略强调医生应多加关注患者的感受并进行引导,尽量消除患者的恐惧与担忧,更加符合医学伦理学的要求,也是应用较为广泛的医患沟通模式。有研究结果显示,秉承以患者为中心的理念优化服务态度是加强医院管理、推动医院发展的重要方式。与此同时,由于该模式在考虑治疗疾病技能的同时还关注了医生在健康促进和疾病预防方面的技能,因此经常被应用于家庭医学中的医患交流。

综上所述,国外的医患沟通模式经过多年的应用,基本都表现出了良好的实用性、有效性。现有医患沟通模式多是将医患双方的沟通过程划分为不同的阶段,并针对各个环节提出适用于不同阶段的沟通方法,既为医生提供了明确的沟通指南,也为医患沟通的实践、研究以及教育教学提供了清晰的框架。然而,上述模式仍然存在不足与局限性,比如对特殊科室的沟通技能研究较少、不够重视治疗前和治疗后的沟通等。另一方面,我国现阶段的医患关系与国外有较大差异,国外医患关系管理具有较完整的体制和制度规范保障,相比之下我国医患关系正处于利益冲突加剧和发展不稳定、不平衡的特殊时期。在这种情况下,国外现有医患沟通模式并不完全适用于我国的医疗服务环境,而国内现有研究成果仍缺少适用于中国医疗服务环境的沟通模式。因此,未来研究适应于中国医疗服务环境的沟通模式将成为研究的重点和难点。

三、中国特色模式

中国国情特色包含三重意义。

1. **历史角度**　中国几千年形成的历史文化背景不容忽视，如儒家思想、家庭观念等渗透在中国民众血液里的文化基因成分。

2. **中国当前医疗保健体制和现状角度**　包括卫生资源分布不均衡，全国健康素养水平参差不齐，医生与患者数量的比例失衡，门诊需求量超负荷等现实因素。

3. **即时的具体交际情境**　即会话参与者所建构的即时即刻的互动情境，该情境直接受到交际参与者身份、教育背景、认知水平和主观预期等的影响。

医患关系在不同的政治体制、文化背景及不同疾病中的呈现完全不同。受临床科室复杂性以及医疗形势变化等因素的影响，现有的医患沟通模式不能完全适应目前的沟通需要。同时，我国由于医疗资源相对短缺且分布不合理，医生工作负荷重，使医患沟通的开展受到阻碍等原因，国外医患沟通模式难以指导当前我国医患沟通研究与实践的开展。因此，我国形成具有中国特色的医患关系模式。

（一）医防融合模式

医，主要是指治疗相关临床工作；防，主要是指预防医学。虽然二者同属于医疗卫生机构的服务范畴，但是长期以来，由于分属于不同的机构，二者并不能很好地衔接起来，存在分段式、功能式的服务，难以形成患者就诊时连续一体化的全程管理，特别是在慢性病（如高血压、糖尿病）的健康管理上医防之间存在严重脱节。医防融合模式便是将“治病”与“防病”二者融合起来，通过医疗服务与预防服务有效衔接、相互协同等形式，最大限度地减少健康问题的发生，控制健康问题的恶化，提高医疗服务质量，实现“以健康为中心”的目标。2017 年以来，国家便发布了一系列文件，以推进医防间的相互融合。《中国防治慢性病中长期规划（2017—2025 年）》提出要加强医防融合，推进慢性病防、治、管整体融合发展；《关于做好 2019 年家庭医生签约服务的工作通知》提出要以家庭医生团队为载体，以高血压、糖尿病等慢性病管理为突破口，强化基层医防融合。家庭医生在为签约居民提供诊疗服务时，要将健康档案管理、慢性病随访、健康教育等公共卫生服务与临床治疗服务整合开展；《关于做好 2021 年基本公共卫生服务项目工作的通知》提出要继续以具备医、防、管等能力的复合型医务人员为核心，以高血压、2 型糖尿病等慢病患者健康服务为突破口推进基层慢病医防融合。

近年来，各地基层医疗机构积极探索医防融合服务模式。安徽省界首市便通过医保经费前置，调动村、乡、县三级医生和相关组织的积极性，与村民签署家庭医生服务包，联合为村民提供健康服务。不仅探索建立了“1+1+1”签约服务团队，即 1 名村医、1 名乡医和 1 名县级医生共同签约，共同履约，而且还以信息化建设为支撑，实现了县乡村电子病历的统一，实现患者信息在各区域内的流通。

重庆市通过摸索也已构建出医防融合“125”新格局。“1”是一个共同体，即在每个区县域内成立一个“党委政府主导 + 卫生健康行政部门主管 +n 个医疗卫生机构”的卫生共同体，以统筹医疗和卫生服务管理；“2”是两层架构，第一层是在基层医疗卫生机构内建立“两部（全科医学部和妇幼健康部）一馆（中医馆）一专区（专科服务区）”。第二层是在区级医疗机构建立“两员一中心”，由区县疾控中心向区级医疗机构派驻公共卫生专员和联络员，在区县牵头医院建立公共卫生管理中心；“5”是 5 个融合，即管理融合（区县层面统筹基本医疗和公共卫生服务管理）、队伍融合（临床医务人员与公共卫生医师共同开展服务）、服务融合（形成“登记→健康服务 / 挂号→分诊→就医”的服务新流程）、信息融合（建设全民健康信息平台，病例信息共享）和绩效融合（完善绩效考核体系，将公共卫生工作完成情况纳入总体绩效评价）。各医院也根据自身特色积极响应医防融合，如山西省阳城县肿瘤医院以家庭签约服务为抓手，以国家肿瘤筛查项目为载体，组建肿瘤慢性病患者全程健康管理团队，形成了“未病早预防、小病就近看、大病能会诊、癌症有管理、转诊帮对接”的防治体系，走出了一条“以医促防，医防融合”的农村肿瘤高发地区防治工作模式。

（二）医传防融合模式

医传防融合模式是在医防融合模式下的延伸与拓展。医指的是医疗，传是指传播，防是指预防，其中，医学科普传播在医疗与预防之间起到重要的连接作用。医传融合模式主要着力于医疗卫生机构体系的完善与建设，形成医疗与预防相互渗透、共同协作的形式，重在培养一线医防人员的专业素质及协同能力。而医传防模式则加入了医学科普传播，致力于医学知识的普及，以提高公众对医学的认知及对健康的关注，实现社会各方共同发力，推进健康中国建设。医学科普传播的加入具有重要意义。首先，医学知识的传播有助于提高公众的健康素养及医学素养。一方面，通过疾病预防的科普及倡导健康的生活方式，使公众摈弃不健康的生活习惯，从自身做起预防疾病的发生，降低疾病的患病率及死亡率。医学知识也能帮助公众在医疗就诊时主动地参与到医疗决策中，与医生充分地沟通交流，达到最好的诊疗效果。另一方面，健康素养及医学素养的提升能帮助受众辨别伪健康信息以及识别虚假医疗保健信息，减少因医学知识缺乏而被误导诊疗的悲剧。其次，医学知识的传播有助于促进医患和谐。通过医学知识的传播引导公众用科学客观的眼光看待疾病的治疗，理解医疗行业的特殊性，了解到医学不是万能的，其存在局限性、概率性及个体差异等。最后，一线的医防人员加入传播的阵营中，拓展了公众就医的方式。近年来，越来越多医生及医疗工作人员入驻线上传播平台，提供医学科普、谣言辟谣以及线上问诊等服务。线上问诊在一定程度上消解了线下就医所面临的时间和空间的限制，大大简化了就医流程，提高了就医的效率。

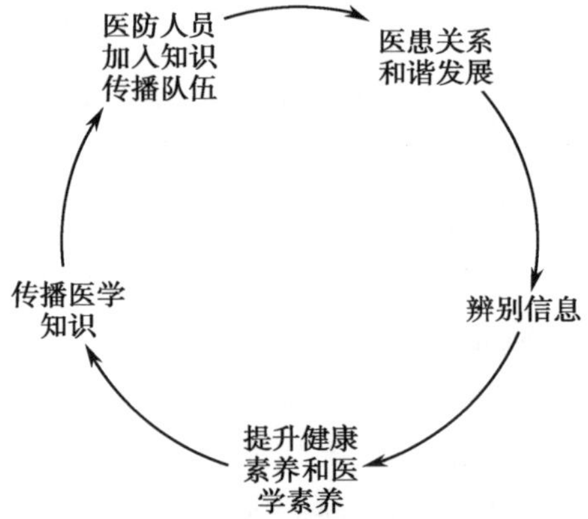

医传防融合模式

广东省首先探索了医传防模式的可及性，成立了健康促进与传播委员会，组建多个“医传防”融合健康服务共同体助力区域健康战略落地，同时牵头成立了广东省医学科普传播联盟并首发了《广东省医学科普传播联盟公约》。对于一线的医疗工作者而言，已有不少医生借助媒介平台开始探索医传防模式。例如中山市陈星海医院中西医结合脑科中心主任邹达良，一方面不断提升临床医治的技术水平，让更多急性患者康复；另一方面借助新媒体提升公众健康素养，倡导健康的生活习惯；同时在脑病预防方面，宣传提前筛查，鼓励高危人群进行体检，实现疾病的早发现。

课后习题

1. 请列举3种医患沟通的经典模式。
2. 请列举具有中国特色的医患关系模式。
3. 请结合实际，举出一个我国基层卫生机构在医防融合方面的成功案例。

参考文献

[1] 吴建成，彭炜瑛．医患沟通是医患关系的主题 [J]. 医学与社会，2003, 16 (3): 37-38.
[2] 王锦帆．关于我国医患沟通内涵与目的的思考 [J]. 中国医院管理，2007, 27 (3): 27-29.
[3] SZASZ TS, HOLLENDER MH. A contribution to the philosophy of medicine: the basic models of the doctor-patient relationship [J]. AMA Arch Intern Med, 1956, 97 (5): 585-592.
[4] 陈娟，李金旭．作为冲突的调节者：《人民日报》(1978—2018) 医患报道的内容分析 [J]. 现代传播，2020, 42 (12): 74-79.
[5] 王显君，唐智友，杨文梅，等．基层医疗卫生机构医防“五融合”健康管理服务模式研究 [J]. 中国全科医学，2020, 23 (31): 3924-3929.
[6] 陈家应，胡丹．医防融合：内涵、障碍与对策 [J]. 卫生经济研究，2021, 38 (8): 3-5, 10.
[7] 徐风光，胡浩．界首打造医防融合升级版 [EB/OL].(2018. 12. 21)[2021-11-19]. http://www. ahjs. gov. cn/content/detail/5c1c9b12d9ca78f5488b91c5. html.
[8] 李畔．重庆：构建医防融合“125”新格局 [J]. 中国卫生，2021, 40 (7): 88-89.
[9] 王卫东，王新正．医防融合“老点”新姿——阳城县肿瘤医院实施医防融合工作 [J]. 中国肿瘤，2020, 29 (11): 813-814.
[10] 广东省卫生经济学会．综合实力日趋强盛，成长态势月新年异——记前进中的广东省卫生经济学会 [J]. 中国卫生经济，2021, 40 (2): 2+1.
[11] 邹达良．用中西医结合破解脑病难题，不断探索基层医院医传防养融合 [EB/OL]. (2021. 7. 27)[2021-11-19]. https://www. sohu. com/a/479786955_99995810.

第五章　医学传播的艺术

课程要求

1. 熟悉医学传播的六大特质。
2. 了解医学传播的不同形式。
3. 了解医学科普作品的创作流程。
4. 熟练掌握医患沟通和医媒沟通的定义和现状。
5. 了解医患沟通和医媒沟通技巧的重要性。
6. 熟练掌握和运用医患沟通和医媒沟通技巧。

随着各种家用健康设备的普及和各种医学相关“互联网+”模式的拓展，医学传播的场景已经贯穿日常生活的很多方面，融入了其他行业和学科的知识，各学科交叉融汇，传播者更是扩大化，从网络意见领袖，到广大网民及各种自媒体平台，都可以根据自学到的医学知识和技能对专业医学和有关健康方面的问题质疑和讨论，进而影响主流媒体的跟进报道、专业研究机构和部门的关注。这就意味着医学相关的信息在传播过程中，不再是过去的那种由各种专业词汇构成的、只针对特定相关从业人员的形式，内容也不再局限于医学专业的行业内探讨及解释，而是逐渐面向大众，并分成不同的群体，这让医学传播的多重性、多样化特点开始显现。

在传统印象里，医学传播的主要场景多数是在病情探讨过程中的医患沟通。通常医务工作者会使用专业的医学语言来显现个人的职业化与专业化。尽管患者有可能不完全了解专业性用语的真正意思，但这反而证实了医生的职业性与权威性。于是在很长一段时间里，医学有着一定的神秘感，传播局限于较小的范围。随着受教育水平的整体提升及网络信息化的发展，民众对医学词汇、医疗检查及治疗方案的了解程度加深，个人意识加强，特别是重视维护个人权益的意识，社会上对通俗易懂、具有人文关怀的医学信息的需求大大增加，而自媒体时代的宣传需求也推动着更多的专业医疗机构和医务工作者去主动揭开医学神秘感，运用各种医学传播的形式去分析和解答民众在疾病、治疗、健康素养、生活习惯上的各种问题。因此，当前医学传播亟需打破医学知识艰深晦涩的壁垒，找到医众之间彼此都能够接受和理解的表现形式，由专业性强的医学解读转向叙事中带入知识，让医学信息通过各种各样的载体传播出去。

一、医学传播所需的特质

（一）科学性

科学作为人们认识世界和改造世界的指南，它揭示事物的客观规律，探求客观真理。医学作为一门自然科学，是认识、保持和增强人类健康，预防和治疗疾病，促使机体康复的科学知识体系和实践活动。

科学性是所有科学传播的生命，医学信息的传播亦不例外。医学传播应基于客观真实，坚持科学、实事求是、传播真实的医学信息是医学传播中最重要的原则。虚假的医学信息会极大危害人类健康安全和社会稳定发展，传播越广，害处越大。

但是，科学是在不停发展的，知识有着时代局限性，医学科学也不例外，这是客观存在的现象。也正是在不停的科研和实践中探索，科学才会进步，有时候一个新的发现会推翻和重构整个学术体系，“真实、科学”的内容在不同时期可能有着不同观点。所以，在医学传播过程中，要注意与时俱进，了解新知识新观点，用目前全面发展的观点，把成熟的、切实可行的知识，传播给广大民众。同时，在较新、较前沿的知识领域，会出现所要传播的内容新老观点有争议，学术界看法不一的情况，对于传播者来说，并不能预知学术观点未来的发展，但也无须规避发展中的学术问题，客观看待，即时、透明地传播即可，争议亦可以作为科学信息的一部分来说明。

（二）合法性

合法性是一个社会学定义，是社会运转的规则，广义的合法包括符合法律、规章、标准、原则、典范以及价值观、逻辑等。医学信息传播作为一种紧密结合了自然科学与人文科学的交叉学科行为，是医学科学技术与社会生活之间的一座桥梁。医学传播者在向读者传播医学知识的同时，也使读者受到科学思想、科学精神、科学态度和科学作风的熏陶，提高人们的科学素质和思想素质。因此，在医学传播的过程中必须要注意合法性。

1. **医学传播的思政观应该是合法的**　在医学知识传播的过程中，思政观是内在的、从作品中自然表现出来的，潜移默化地让人们深刻地理解科学的世界观和方法论，故要注意传播正确的道德观，科学无国界，但科学家有国界，不乱给知识贴政治标签或外加政治属性，注意社会人文与道德伦理，是进行医学传播的基本界限。

2. **医学传播的内容应该是合法的**　我国有各种不同的法律法规来规范传播行为，医学传播亦必须遵守相关的规定，例如医学信息真实科学，引用文献条目清楚出处可靠，传播作品制作（包括文字、图像、音视频等）合法（符合著作权法）；医学病例描述与图片发布注意患者隐私权、肖像权（符合新闻传播法）；若涉及推广或盈利行为亦要遵守相关规定（符合合同法、广告法）等。

3. **医学传播手段应是合法的**　医学传播的主要手段包括发表学术论文、出版著作、举办会议和讲座、开展实践训练、进行网络平台信息传播等，不同的传播手段均有其相应的规则，均应符合相应的制度要求和法律规定。

（三）有效性

医学传播应具有效用性。这是指完成所策划的医学传播活动后，应达到一定程度的传播效果，能有益于大众医学素养的提高，有利于各种疾病的防治，有助于公共卫生水平的提高，有助于促进医学科学的发展。这对医学传播的信息从内容、形式到方法、载体都提出了一定的要求。

（四）通俗性

医学传播应具有通俗性。医学传播通常是医务工作者作为传播主体，面向的可以是同行，这通常出现在学术交流的场景，但多数情况下，面向的更多是普通大众。不同于其他自然科学传播所面向的是有兴趣及需求的人群，医学是人体科学，与所有人都密切相关，各种人群都是医学传播的目标受众，各种阶层、各种教育背景的人群均广泛涉及。这种情况下，医学传播需要面向各种不同群体，用不同的方法介绍医学知识，使之生动、易懂。

医学传播的过程，实际上也是医学科学知识通俗化的过程，也就是医学科普的过程，这是医学传播的实质。如果没有把医学知识通俗地表达出来，没有医学基础的大众理解不了，就无法达成医学传播的有效性，医学传播也就失去了意义。

医学传播实践时，需要分析本次传播目标受众的特点，并有目的地进行相应程度的通俗化。可以运用多种方法，如用文艺形式创作，使之生动有趣，引人入胜。只要能让医学传播变得简明扼要，深入浅出，通俗易懂，并与人们的实际生活和工作联系起来，就能达到通俗化。但通俗不是简单化、庸俗化，不能把医学知识断章取义、简单、片面地予以解读而造成歧义，也不能把通俗化变成庸俗化，为了流量与噱头去迎合低级趣味，这些都应该在医学传播中避免的。

（五）艺术性

医学传播的艺术性是由通俗性派生的一个特点，人民群众总是会对好听、好看、故事性强的事物感兴趣，表现得好的通俗性常常需要运用各种艺术形式来实现。艺术性高的医学科普作品通常通俗性高，更容易传播得广，也更容易得到好的传播效果，获得更强的有效性。所以，在医学传播的各类型作品的创作过程中，不仅需要严谨的科学性来达到以理服人的效果，还需要艺术性来表现医学人文，使之以情动人。叙事医学、医学插画、音频、视频等都是应用艺术性来创作的例子。

（六）公益性

人民健康是民族昌盛和国家富强的重要标志，预防是最经济最有效的健康策略。医学传播是一种低投入、高产出的健康促进措施，它从诞生起就具有明显的公益性。推动医学发展，增进公众对医学的认识与理解，提高个人对医疗卫生问题的决策能力，是医学传播的主要目的。做好医学传播，有助于公众理性看待医学相关问题，最终提高公众健康水平。

任何的医学传播过程都必须将公益性放在第 1 位，不能简单地将追逐经济效益作为其最终目标，社会效益才是需要重点关注的。

二、医学传播的形式

随着社会经济的快速发展、物质生活水平的提高，人们对传统的文字宣传、海报宣传、会议或讲座、医学咨询等传播形式要求不断提高。但是不同年龄、不同人群、不同受众群体对于医学传播的内容以及形式接受程度也有很大的差异，老年人一般更关注慢性疾病类的医学保健内容，小孩一般对于缤纷活泼的画面更感兴趣。作为一名医务工作者，如何把疾病防治知识、医学资讯以及医学研究成果讲得为大众易于接受，将医学知识在保证其准确性以及专业性的前提下，转化成通俗易懂的生活常识，这需要掌握医学传播学的相关理论知识，运用不同的传播形式以及传播技巧，如常见的文字、图像以及视频等进行医学传播，在通过对医学知识进行提炼、改编、创新、回馈的过程中，也可以创造、创新医学传播形式。

（一）文字

在文字缺席的时代，人们的交流主要靠口语媒介传达信息，但是口语具有转瞬即逝的性质，文明最大的跨越是文字的发明。文字是一种最基础的传播形式，自文字诞生以后，人与人之间的交流越来越多通过文字进行。

传统的文字传播一般为撰写文章，中国古代的书面语大都是文言文，直到明清才开始普及白话文，也就是日常流通的口语被人用来撰写文章，于是口语和书面语就有了融合的迹象。随着白话文的普及与发展，文字传播的体裁越来越丰富，例如书籍、文章、报纸等。

文字在传播的历史过程中形成了系统性的语言艺术体系，不同语言艺术产生的传播效果不同，甚至可以结合医学人文素养进行传播，最近萌生的叙事医学起源于 20 世纪 80 年代左右，关注叙事与医学的互动，结合了疾病叙事、文学理论、以患者为中心的医疗、医患共同决策等领域的研究成果，探索出了一种操作性极强的实践方式，提供了丰富的医疗照护价值、医学反思价值和医学教育价值。叙事医学的两个重要工具——细读和反思性写作，是医学传播工作者所需要具备的一种重要能力。现在随着技术平台和手机终端的发展，人与人之间的交流也不再局限于面对面，文字交流的界限不断突破，借助电子媒介让文字传播交流更方便，简单、方便、快捷成为文字传播的优势。新技术让每个人都可以参与的同时，也会滋生很多谣言，谣言的产生一般是人们的恐慌心理以及专业信息监控的缺失,因此文字传播形式一定要遵从医学传播特质中的科学性和合法性。

(二) 图像

从我国公众获得科普渠道的情况里面可以发现,作为传统的大众媒体,单纯的文字传播较为单调,报纸、宣传海报、电视均是结合文字和图像传播的主要媒介。图像传播的形式也是重要的医学信息载体,按照大分类来说,图像传播除了视觉图像、平面图像还有三维图像等。图像是可以直接通过照相、扫描、摄像得到,也可以通过绘制得到。作为医学传播中图像形式的基本要求,必须把握客观存在的真实性,可以对内容适当加工,但必须保证科学性。

本书就医学插画来举例,医学插画可以面向大众进行科普,可以补充当前医学类教材解剖图、示意图抽象等不足,还可以成为医学临床、科研配图的有益补充。创作一般写实类插画概括为以下几个步骤:①找素材,练习的时候需要找到一张结构颜色细节丰富,高清,颜色不失真的照片素材;②打草稿,画好草稿再进行细节的描绘;③上色,为了让公众可以清晰地了解需要科普的内容,我们需要真实地反映出插画的内容,但是也可以将真实感进行适当的艺术加工,如血淋淋的术中照片可能会让非医学界人士感到不适,又或者疾病的发展发生过程很难通过现实生活观察,但是经过提炼后的医学插图却能吸引人们的兴趣,还能让一些抽象的概念变得形象起来。

例如"医普惠明"师生创作团队制作的人体彩绘插画。吸烟者的肺是棕黑色的,并且吸烟时间越长颜色越深。除了颜色以外,在肺的某些部位还有焦化现象,而彩绘中另一部分为健康者的肺部,对比鲜明。艺术化的表现使人对疾病的表现过目难忘。

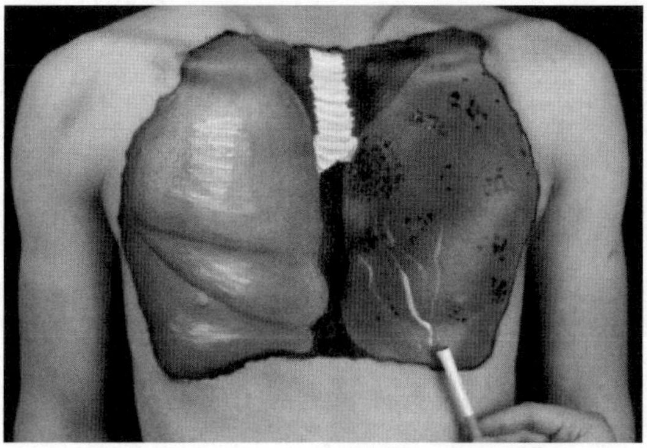

艺术加工后的医学插画

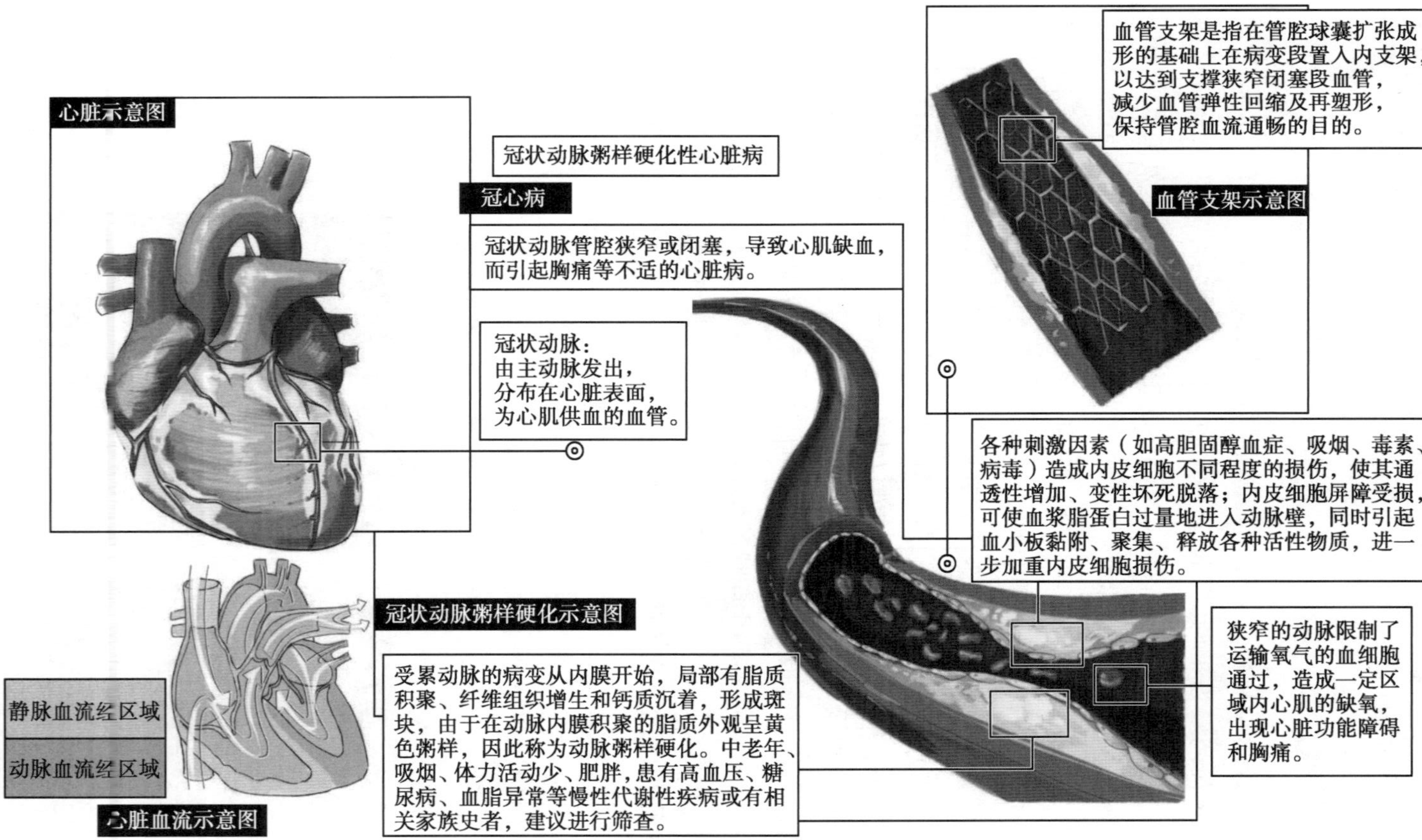
心脏示意图
冠状动脉粥样硬化性心脏病
冠心病
冠状动脉管腔狭窄或闭塞，导致心肌缺血，而引起胸痛等不适的心脏病。
冠状动脉：
由主动脉发出，
分布在心脏表面，
为心肌供血的血管。
静脉血流经区域
动脉血流经区域
心脏血流示意图
冠状动脉粥样硬化示意图
受累动脉的病变从内膜开始，局部有脂质积聚、纤维组织增生和钙质沉着，形成斑块，由于在动脉内膜积聚的脂质外观呈黄色粥样，因此称为动脉粥样硬化。中老年、吸烟、体力活动少、肥胖，患有高血压、糖尿病、血脂异常等慢性代谢性疾病或有相关家族史者，建议进行筛查。
血管支架是指在管腔球囊扩张成形的基础上在病变段置入内支架，以达到支撑狭窄闭塞段血管，减少血管弹性回缩及再塑形，保持管腔血流通畅的目的。
血管支架示意图
各种刺激因素（如高胆固醇血症、吸烟、毒素、病毒）造成内皮细胞不同程度的损伤，使其通透性增加、变性坏死脱落；内皮细胞屏障受损，可使血浆脂蛋白过量地进入动脉壁，同时引起血小板黏附、聚集、释放各种活性物质，进一步加重内皮细胞损伤。
狭窄的动脉限制了运输氧气的血细胞通过，造成一定区域内心肌的缺氧，出现心脏功能障碍和胸痛。

医学临床、科研配图

插画内容可以涵括生物医学期刊插图、图书插图、PPT幻灯片演示插图、医患交流用疾病教育说明图、外科手术培训及治疗路径操作图、疾病疗程解说图、医疗器械设备使用说明图、医学法律例证插图、科普插画等。当今中国不仅缺医生，更缺具有医学背景的专业医学插画人才，对于有医学背景且对医学插画具有一定兴趣的这类人群，应利用好自己最核心的资源，将临床与绘画相结合，业余时间勤练习，多思考，多总结。此外，也可以通过学习一些绘画教程或者请专业的老师来帮助学习，以减少自学的成本，避免不必要的弯路。

（三）动态视频

视频作为一种全面的医学传播形式，融合了语言、文字和插画，更好地进行视觉传达。医学动画在国外应用已经开始走向成熟，医学动画除了我们常见的动画科普外，还可以结合人体形态学、物理学和生物学等学科，利用高仿真三维动画技术设计虚拟的人和人体器官，为医学研究、教学与临床提供形象而童真的模型，将动画技术手段嫁接到临床试验、诊断实践中，已经成为一门新兴的医疗技术。三维的动画模型因其准确性、直观性等特点，能给医生诊断以身临其境的感觉，正好解决了临床医学领域中许多抽象的问题。医学和动画的结合不是简单的“科学 + 技术”，这是艺术和技术紧密结合的工作，需要美术、造型、构图、镜头节奏等方面的功底。现实中，同时拥有医学知识和艺术素养的复合型人才还是少数，在医学动画方面我国处于起步阶段还需要不断探索发展。

（四）艺术表演

艺术表演属于群众喜闻乐见的文艺形式，如相声、小品、朗诵、歌曲、脱口秀、人体彩绘等，这种传播形式既有趣又时尚，深受广大群众的喜爱。一般来说，这种传播形式具有良好的现场体验感，能得到大多人的青睐。但是也存在一定的限制，例如需要场地、人力的支持以及一定的资金。医学传播的艺术形式多种多样，如广东医科大学附属医院义工幸福银行科普团队就在助力新冠肺炎疫情防控中，原创4部艺术作品《天使恋人》《白衣使命》《春天见》《美丽的你》，系列作品先后被各大媒体转载，总浏览量近200万，这是医艺融合的典型案例。

三、医学传播作品的创作

医学传播的实现，最终还是要落实到各种医学传播作品的创作上。为了达到好的传播效果，从策划开始，就要了解清楚创作定位相关的几个问题：为什么做？为谁做？做什么？怎么做？怎么传？这些问题不是独立的，而是相辅相成、互相影响的。只有先找准了医学传播作品的定位，才能恰到好处地兼顾科学性、通俗性、艺术性，达到医学传播的有效性。

（一）选题

医学传播的选题应该主要注意如下几个方面。

1. **切合所擅长的专业领域**　一次成功的医学传播，首先要保证科学性，在科学性的基础上再来增强通俗性以利于传播，这个过程是对专业知识积累的综合运用，只有在擅长的领域，才容易将深奥的医学知识表达得深入浅出又不出错。

2. **注意目标受众的需求**　如上所述，明确定位了受众群体，就要从所预设的受众立场上去选题。

3. **追踪跟进新闻热点**　互联网时代下，新闻热点自带大量流量，跟进新闻热点的传播通常事半功倍，医学传播也不例外。例如新冠肺炎疫情流行期间，这类大型公共卫生事件的相关医学科普就极受欢迎，与舆情同步进行医学传播，可以收到极好的效果。

（二）方法

对于医务工作者来说，有些人科研论文、课题标书等的创作可能不在话下，但一写科普就束手无策。其实医学传播作品的创作不同于其他科技文体，无论是采用哪种传播载体，都可采用一些表现手法使之通俗易懂，引人入胜。下面介绍几种常见的创作技巧。

1. **标题**　标题需要体现主题并对受众有足够的吸引力，一个合适的标题对于传播效应几乎有着决定性的作用，这通常需要抓住受众的心理需求，突出重点。常用的方法包括以下几种。

(1)直叙式：如《青少年吸烟危害大》。

(2)疑问式：如《小儿缺钙会影响智力吗》。

(3)故事式：如《比悲伤更悲伤的故事——关于慢粒》。

此外，还有时事热点式、寓意启迪式等多种命题方法。

2. **故事性**　无论是文字还是影像，一个好的故事总是让人津津乐道的。医学是人类生命的科学，认识到疾病的苦痛，用人文故事的方式娓娓道来，这也是叙事医学发生发展的基础。而在医学传播中，科学性之外的医学人文亦是同样重要的，很多病案本身就伴随着比艺术创作更精彩的故事，医务工作者应该应用并放大这个优势，在日常工作中注意培养能够认知、阐述疾病故事的技能，以故事或悬念引入剧情，穿插医学知识，以生动的故事或以引人深思的悬念开头，以令人回味无穷的知识结局或引申故事结尾，并与开头相照应，感染受众的情绪，潜移默化中把医学知识传播开去。

(三) 细节

在医学传播创作中，还有很多细节处理的小技巧，这些与其他的一些艺术创作是相通的，此处仅简单枚举一些常用的技巧。

1. **比衬**　有些原理比较抽象不易理解，可以找出一些与表现对象相类似或相对比较浅显、具体、为大众所熟悉的比衬对象，将它与表现对象相比，讲清它们之间的关系。这样也就容易理解多了。

2. **比喻**　比喻是将两种有相似之处的对象，通过打比方的方式，形象地显示真正要表现的事物或道理。但要注意，做比喻的事物要具体。通常是用具体形象的事物比喻一般的抽象道理，用熟知的事物比喻陌生的事物，用浅显的道理比喻高深的道理。

3. **虚拟**　虚拟是设计一些现实生活中没有，甚至让人感到荒唐的情形，来使受众展开想象的翅膀，获得鲜明的印象。如把人当成物，把物的世界当成人的世界来写。

4. **曲笔**　为了更加有效地揭示事物的本来面目，通过采用一些表现手法，把故事发展过程表现得跌宕起伏。

创作技巧常创常新，每个人都可以自己尝试去创造一些新颖的风格，并不需要把创作局限在套路里。

四、医患沟通

（一）医患沟通的定义

医患沟通的含义：医疗卫生和保健工作中，医患双方围绕诊疗、服务、健康及心理和社会等相关因素，以患者为中心，以医方为主导，将医学与人文相结合，通过医患双方各有特征的全方位信息的多途径交流，使医患双方形成共识并建立信任合作关系，指引医护人员为患者提供优质的医疗服务，达到维护健康、促进医学发展的目的。医患沟通不仅是长久以来医疗卫生领域中的重要实践活动，而且也是当代经济社会发展过程中凸显出来的医学学术实践活动。

由于“医”和“患”都有狭义与广义的区分，因此，医患沟通也有狭义与广义的内涵。狭义的医患沟通，是指医疗机构医务人员在日常诊疗过程中，与患者及亲属就诊疗服务、健康及心理和社会相关因素，主要以医疗服务的方式进行沟通交流，它是医学科技与医疗综合服务实践中的基础环节，发生在所有医疗机构每次医疗服务活动中，是医患沟通活动的主要构成。它的重要价值在于科学地指引患者接受诊疗，并提高医疗卫生服务整体水平。广义的医患沟通，不仅包括上述医患沟通，还包括医学和医疗卫生行业人员，主要围绕医疗卫生和健康服务的法律法规、政策制度、伦理道德、医疗技术与服务规范、医学人才标准和方案等方面，以非诊疗服务的各种方式与社会各界进行的沟通交流，如制定新的医疗卫生政策、修订医疗技术与服务规范和标准、公开处理个案、健康教育等。它是在狭义医患沟通的基础上衍生出来的医患沟通，其中部分是由许多未处理好且社会影响较大的医患沟通个案所引发，广义的医患沟通产生的社会效益和现实意义是巨大且长久的，它不仅有利于医患双方个体的信任、合作及关系融洽，更重要的是它能推动医学发展和社会进步。

（二）医患沟通的意义

我们都知道，“人际交往”是一门大学问。在不同场合，面对不同的人，为了实现不同的目的，如何选择恰当的沟通方式和使用技巧，这绝非一件容易的事。而医患关系就是一种与医疗活动相关的人际交往，具有其普遍性和特殊性。由于医生与患者对医学健康知识的认知水平不同，这在不同程度上产生了两个群体之间的交流障碍，而医疗过程是需要医生和患者共同参与、密切配合的,因此掌握良好的沟通技巧就显得尤为重要。在谈具体的医患沟通技巧之前,我们首先要了解良好的医患沟通在医疗工作中能发挥出怎样的实际作用,知道医患沟通技巧的意义何在。

1. **建立信任关系**　“医乃仁术”,医务人员的职能不仅仅是治病,还包括对患者的关心和同情。当一位饱受病痛折磨的患者来到医院挂号,并支付医疗费用,在面对一位素昧平生的医生时,往往会或多或少地存在一些顾虑。此时,良好的沟通便可以让患者缓解紧张焦虑情绪,对医生产生值得信赖的第一印象,有助于建立初步的信任。使患者更愿意听取医生的建议,对医嘱体现出更好的依从性,从而积极配合后续治疗。

2. **准确判断病情**　良好的医患沟通能让患者放下内心的顾虑,愿意分享更多的身体状况和感受。医生把握科学的询问技巧,能够收集完整、有效且全面的疾病信息,完成高质量的病史采集过程,从而有助于做出更准确的疾病诊断,降低误诊、漏诊概率。例如患者体质上的特殊情况,只有患者本人最清楚,甚至印象模糊或刻意回避,而医务人员又无法单纯从检查报告中获悉。如患者对某些事物或药物过敏以及故意隐瞒的医美整形经历等,倘若医务人员在询问病史时没有做到深入全面地了解,在治疗中所使用的某些药物成分就可能导致患者出现过敏反应,则可能会引发不良的诊疗后果。

3. **提高医疗质量**　在诊疗过程中,良好的医患沟通能够使患者获得优质的就医体验,感受到被认同、被尊重,对治疗措施和风险表示理解,及时向医护人员反映病情变化;能便于医生随时掌握疾病发展动态,及时调整治疗方案,从而保障了整个医疗工作的安全、高效进行。

4. **减少医患矛盾**　由于医生与患者掌握的医学知识不对称,一些在医生看来理所当然的常规诊疗行为可能被患者误解,产生恐惧、愤怒情绪甚至诱发暴力事件。而良好的医患沟通能够弥补部分信息差,耐心通俗的解释,能够帮助患者纠正错误认知,消除一些误会与投诉,从而减少医患矛盾的发生。

(三) 读懂患者内心世界

做到有效沟通的前提,是能感知到对方的心理需求。作为医生,我们常常习惯于用冷静、旁观的“理性视角”去看待患者,只关注到症状、诊断、治疗、预后等客观性的医学问题,而对于患者的主观体验和感受,如生理、心理、社会等多维度问题和综合诉求,容易忽视。因此,只有尝试以患者身份去思考问题,体会对方的内心活动，做到感同身受，才能在交流过程中把握方向，让患者产生良好就医体验，在有限时间内实现最佳沟通效果。

1. **弱者心理——期望与担忧并存** 患者首先会经历疾病所带来的痛苦，切身感受到病痛对其身心产生的不良影响。来到医院时往往感觉到失落与无助，对接诊医生、检查方式、病情严重程度、诊疗过程、治疗效果等均感到迷茫。一方面，患者会满怀期望，希望能遇到一个医术高超又医德高尚的好医生，能温柔、耐心地倾听，全面细致地检查，快速准确地诊断，专业有效地治疗，尽快帮自己解除病痛，将疾病治愈；另一方面，患者又会对这些未知充满担忧，可能会质疑医生资质、经验、口碑、职业操守等，担心疾病严重难以治愈，担心自己不懂医疗只能任人摆布，担心医疗费用是否会超出自己经济能力范围，害怕这次生病是否影响自己今后的生活质量和寿命，等等。

2. **强者姿态——对抗恐惧、释放压力** 一部分患者在面对突如其来的疾病时会束手无措，难以快速从情感打击中恢复过来，从而产生恐惧、逃避心理，对疾病和医疗表现出难以接受、拒绝配合的行为，甚至言辞激烈。有的患者则可能经历了慢性疾病的长期折磨，病痛迁延不愈，花费大量财力、精力，多次求医仍未获得理想治疗效果，从而产生悲观、怨恨心理，面对生活的不幸和不公，焦虑与压力无处发泄，也可能在医疗过程中通过一些不当举止进行情绪的释放。所以在面对这类患者做出的某些过激行为时，应探究其个人经历、文化认知水平等内在因素，从而读懂患者行为背后的根源及其真正诉求。

3. **消费者心理——对医疗要求等价回报** 由于患者需要为医疗服务支付费用，很多人便会习惯性地将就医行为视作一种消费行为。这种认知将使一部分患者认为，同样地缴费就应当得到同等的医疗服务，获得“物有所值”的治疗效果。于是他们会认为医院有时接诊顺序不公正，没有严格遵守先来后到；同样的付费，却没有得到与其他服务行业同等的服务质量，消费体验差；有时为治疗疾病付出了巨额医疗费用，却没有获得令自己满意的治疗效果，甚至“人财两空”“投资失败”；将手术签字视作“强买强卖”的“霸王条款”，自己花钱做手术却要承担手术风险等等。这些矛盾背后，是患者对医学本身的特殊性存在认知偏差。因为无论医学如何发展，仍有大量疾病无法治愈，且疾病救治存在轻重缓急之分，治疗效果也存在明显的个体差异，因此在医疗行业“投入”与“回报”不存在确定的因果关系，即需要让患者明白“花钱≠疗效”。

(四) 医患沟通技巧

1. **保持良好形象**　医患之间的沟通,从患者见到医生的第一眼就已经开始了。甚至在见面之前,通过社交平台、媒体宣传、群众评价等途径已经对医生建立了第一印象。因此,作为医生,时刻保持积极正面的个人形象至关重要。良好的医生形象需要注意:①在医疗场所着装整洁大方,保持个人卫生,尽量避免夸张发型、染发、化浓妆、过于个性或奢侈的首饰、留长指甲、做美甲、过于暴露或非正式的服装鞋帽等;②展现良好的专业能力,使患者感觉值得托付与信赖;③公众场合注意言辞,保持沉着稳重。

2. **善用肢体语言**

(1)眼神:作为“心灵的窗户”,眼睛能表达丰富的情感信息。作为医务工作者,一定不要忽视眼神交流的重要作用。问诊时的目光可传达同情与专注,谈治疗时的目光可显示专业与理性,查房时的目光可传达关心与尊重,甚至能够给患者鼓励与慰藉。因此在临床工作中与患者及家属沟通时应尽量看着对方,避免手头其他事情干扰,可有助于提高就医体验。

(2)表情:需要根据患者的具体处境及谈话内容使用恰当的表情。比如:作为公众场合最常使用的礼节性表情——微笑,在医疗工作中可用于见面问候时、消除疑虑时、病情好转时或者表示肯定和鼓励时,可以促进关系融洽,使患者感觉亲切放松。但对于急危重症、病情恶化、告知风险及不良预后等情形下,则平静严肃的表情更为适合。

(3)动作:礼节性握手可表达尊重;接触患者之前的洗手消毒可体现尊重和保护患者的专业素养;为患者查体时搓搓手、捂热冰冷的检查工具、动作轻柔、边操作边询问患者感受等举动,则可以体现对患者的悉心关怀;询问病情时,抚触患者手臂、轻触额头、帮患者翻身拍背、整理衣物被褥、轻微按摩不适部位等,比较自然的看似不经意的动作,都能拉近医患距离,增进互相的信任,体现人文关怀。同样,在与患者身体接触时,也需要注意举止文雅、场合恰当、力度幅度适中、保护隐私等,把握尺度和分寸,避免引起患者不适与误会。

3. **讲究语言艺术**

(1)表达尊重友善:使用不同的措辞、音高、语速、语调等,会直接影响对方的理解和体验。因此为了实现良好的沟通效果,应根据患者的姓氏、年龄、职业等选择恰当的称谓,表现礼貌、亲切及尊重,避免直呼床号或用疾病名指代患者。做好自我介绍，告知责任关系，使患者获得安全感。交谈注意文明用语，根据不同场合调节音高、语速等，让对方感觉安心、舒适，缓解紧张情绪，产生同情共感，尽快建立共同对抗疾病的盟友关系。

(2)语言通俗易懂：在解释病情或介绍治疗方案、风险及预后等情况时，注意避免过于晦涩的专业词汇，尽可能使用通俗易懂的语言（普通话或方言），可借助打比方、举例子、模型展示、图片及视频等多种形式，帮助患方充分理解沟通内容。

(3)把控节奏效率：临床工作任务繁忙，有时会遇到侃侃而谈、答非所问的患者，因此在耐心倾听的同时还要保持理性思路，适度控制谈话节奏。不随意粗鲁打断患者倾诉，也应引导患者及时将表述内容回到病情主线，在有限的时间精力内收集更多有价值的信息，提高沟通效率。

(4)拿捏分寸尺度：在使用通俗语言、展现“亲和力”的同时，表达观点应始终遵循医学客观事实。不可言过其实恐吓患者，亦不应夸大疗效诱导治疗。给予患者信心鼓励，亦不可对治疗效果轻易做出承诺。

4. 减少纠纷隐患

(1)严谨认真：在医患沟通过程中，应时刻秉持科学严谨的态度。收集病史资料应尽可能全面，避免重要信息遗漏。应严格遵守诊疗规范，不打感情牌，必要的化验检查及诊疗操作应充分告知必要性，加以完善，最大程度避免漏诊误诊。解释病情及诊疗内容时应做到有理有据、客观全面，兼顾病因、诊断、可选治疗方案、不治疗的后果、不同治疗可能产生的效果及风险……均应交代到位，不可“厚此薄彼”。注意保护病患隐私，不可将患者信息随意透露给第三方。任何沟通不善皆可能产生分歧，进而埋下隐患。

(2)医疗文书：医患双方为利益共同体，在医疗活动中，患者依法享有生命健康权、知情同意权及隐私权等，同时也有义务遵守法律法规和医疗秩序，不可故意隐瞒捏造病史，不可干扰医疗工作、妨害医务人员安全等。因此，医患双方存在“医疗法律关系”，完善医疗文书的签署，也是医患沟通的一部分。需向患者及家属解释医学文书的意义，消除误解和抵触心理，详细告知目前病情、可选治疗方案及可能出现的风险等，完善书面签字。规范签署的医疗文书，也为医患沟通的有效性提供法律保障。

5. 注重健康宣教　在医疗工作中，医生不仅需要治疗疾病，也应及时纠正病患以往对健康和疾病的错误观念。医患沟通是对普通大众进行科普宣教的有效途径，患者在亲身经历过病痛之后，更有了解医学知识的主动性。因此，健康宣教和医学科普工作可以贯穿整个医患沟通的始终。询问病史可纠正不良生活习惯、发现用药误区；诊断过程可告知不同化验检查手段的意义和必要性；诊疗过程可向患者解释不同治疗方法的原理及作用；出院时还可向患者告知防控此类疾病的相关注意事项、简单的急救常识、如何识别疾病征兆等。

总之，掌握良好且全面的医患沟通技巧，能够在整个医疗活动中发挥巨大作用，提升患者就医体验、促进医患平等互信、辅助诊疗工作高效有序开展、保障医疗行为安全、提高全社会医学认知水平，成为创建和谐医疗、实现“健康中国”规划的重要一环！

（五）医患沟通温馨小贴士

1. 语言性沟通交流的技巧

（1）词语：通俗，减少专业词汇出现。

（2）语速：放慢，不宜过快。

（3）语调和声调：平稳，避免忽高忽低。

（4）清晰和简洁：避免重复、啰嗦的语言。

（5）可信：多用肯定语句和语气。

（6）注意语言交流中的四性：即隐私性、启发性、通俗性、渐进性。

2. 医患沟通中提问的技巧

（1）熟练两种提问方法：开放式问题和封闭式问题（闭合式问题）。

（2）提问时注意以下事项：理解患者；把握提问时机；提问内容要有针对性；注意提问的语速和频率；提问的方法；重述以确保理解正确；避免诱导性；不要恐吓。

3. 医患沟通中倾听的技巧

（1）预留时间倾听患者的陈述。

（2）学习如何在倾听过程中集中注意力。

（3）不要急于做出评判。

（4）注意非语言性沟通行为。

（5）有时需要仔细体会“弦外音”，以了解对方的真实意思。

（6）与患者保持合适的距离。

（7）维持患者松弛的、舒适的体位和姿势。

（8）保持与患者的眼神交流。

(9)避免分散注意力或不尊重的举动,例如看表、玩弄手中物件等漫不经心的小动作等。

(10)不轻易打断患者的陈述。

4. 注意医疗工作中的小细节

(1)每次在走廊里遇见时都与病人打招呼。

(2)不以病人所患的疾病名称或床号来称呼他们,而是尽量记住他们的姓名。

(3)查房时告诉他今天要做什么,并把他们的意见和要求记在备忘簿上。

(4)如果有治疗上的小疏忽,尽可能诚恳地表达歉意。

(5)当查房遇到患者不在的情况,给他写留言条,告诉他医生来过了,请他如果有需要的时候来办公室找医生。

(6)下班前尽量再去病房里转一遍,确保患者病情平稳,告知如有需要可咨询值班医生,安抚病人及家属情绪。

(7)术前谈话时,把意外情况和并发症都交代到,但是最后补充说明:这些都只是理论上可能发生的,并不一定发生,我们会尽最大努力去做,请相信我们。

(8)全麻手术前,在病房里再次确认术前准备是否都已完成。

(9)在患者进入手术室开始麻醉之前,安抚病人不要紧张;局麻时告诉他操作过程中如果有任何不舒服请尽管说。

(10)局麻患者手术完毕时,及时为他撤去手术单,并鼓励他:您配合得很好,手术能顺利完成有您的一份功劳。

(11)尽可能参与护送患者一道出手术室,与家属进行交谈。

(12)患者回到病房后的半小时之内,再去看望一次,告诉家属手术中的情况,术后注意事项,有什么情况及时和值班医师或护士联系。再次确认引流管、填塞物和敷料等状态正常。

(13)对于所负责的手术患者,第一次换药、拔除引流管等关键工作尽量亲自完成,便于掌握创口渗血渗液及术后恢复情况。

(14)出院前给患者一份详尽的复查时间表,必要时告知自己的联系电话和门诊时间。

5. 医患沟通十项注意

(1)沟通前先澄清概念和相关事项。

(2)检查沟通的真正目的是否清晰。

(3)考虑沟通时的各种环境情况。

(4)沟通内容应尽量参考上级医生的意见。

(5)沟通时应注意措辞和语调。

(6)尽可能传达有效的信息。

(7)对医嘱应有必要的反馈跟踪与督促。

(8)不仅着眼于现在,还应着眼于明天。

(9)应该尽可能做到言出必行,维护个人威信。

(10)应该不遗余力地成为一个“好听众”。

6. 医患沟通十项训练

(1)沟通之前,先尽量明确自己的思路、组织语言,有效地提高沟通的效率。

(2)审查每次沟通的真实目的,并在事前说明。目标越集中,效果越好。

(3)考虑全部现场环境和人际环境,减少对患者真实表达的干扰。

(4)可能时,与上级医师或同事商议沟通计划。

(5)勿忽视患者的言外之意。沟通过程中声调、用词、语言的选择,以及非语言的因素都可能传达患者信息。

(6)当机会来到时,抓住机会给患者一些帮助。

(7)跟踪沟通效果。用提问或评价行为度量来了解沟通信息传达的程度。

(8)沟通内容不仅着眼当前病情,也应兼顾后续治疗过程及恢复期的注意事项。

(9)行动和沟通是相互支持的,身教比言传更有说服力。

(10)不单追求被人理解,也求理解别人,当个好听众。

(六)医患沟通案例分析

一位少女因阴道出血在其母亲陪同下来医院就诊。自述是骑自行车时摔伤后腹痛不止。外科检查未发现丝毫损伤的痕迹,透视也未查出疼痛和出血的原因。接诊医师根据观察和经验,怀疑其为宫外孕,建议转妇产科进一步检查和治疗。但是患者及其母亲都坚持少女未婚且月经一直正常,排斥“宫外孕”的诊断而拒绝转诊。无奈之下医师只好给予患者告知风险,并签字离院。可是当天夜里患者就因宫外孕大出血导致休克而再次紧急就诊并住院行急诊手术。经全力抢救虽保住了病人生命,但却因输卵管破裂出血过多而不得不切除一侧输卵管,病人失去了保守治疗的机会,身体健康代价较大,留下终生遗憾。

【解析要点】 医师要明白，对于上述案例中涉及患者隐私的致病原因，在问诊过程中，当患者有意识地隐瞒病因时，医者不必强硬追问。特别是未成年患者当有家长在场时，可婉转支开家长，对患者单独问诊，对成年患者则给予隐私空间，并晓之利害，科普“如果发现某种疾病(如宫外孕、性病、艾滋病等)会有哪些症状和征兆，会有哪些严重的危害，弄清病因对有效治疗的重要意义等。给患者一个思索、权衡利弊的时间。让患者体会到”医生是在真心帮我”从而配合治疗，避免悲剧的发生。

五、医媒沟通

(一) 医媒沟通定义

医媒沟通，顾名思义，即医务工作者与媒体之间的沟通，通过双方利用各自领域的专业优势，尽力避免由于知识背景差异、看待问题片面而导致的报道宣传失实，旨在向公众输出更具科学性、真实性、全面性、有益性的医学类信息。医媒沟通对于反映社会医疗需求、还原涉医事件真相、提高全民健康认知水平、正确引导社会舆论、促进和谐有序的医患关系等均具有重要作用。在信息化时代、自媒体时代，全体医护人员、医院管理者以及媒体工作者应更加重视并做好医媒沟通，医媒携手助力健康中国。

(二) 医媒沟通现状

随着互联网技术不断提高和各种电子客户端的普及，我们已然处在一个飞速发展的信息时代。官方媒体、地方媒体、社交平台、网络短视频等融入每个人的日常生活，我们随时可以轻易便捷地获取大量视听信息。医疗，作为关乎民生健康的重要领域，也是在媒体行业工作内容中占有很大比重。当然，由于医疗本身的特殊性，媒体对医疗话题的报道既有其积极正面的作用，也存在一些不足。

1. 积极作用

(1) 普及医学知识：更多民众可以通过媒体报道获得更多医疗相关的信息，各种通俗有趣、喜闻乐见的信息形式，能够降低医学知识的认知门槛，提高公众接受度。尤其是正规医疗机构与媒体合作推出的各类医疗节目，为群众提供更多与名医专家的沟通机会，有助于普及健康知识（尤其是突发健康事件时的急救技能）、纠正错误观念、提高对谣言及骗术的甄别能力，还能够推广分享新技术成果和国家医疗方针政策，更好地服务百姓。

（2）反映医疗需求：部分患有疑难杂症、经济困难、鳏寡孤独等特殊群体，可通过媒体平台发声求助，有机会得到国内外知名专家或医疗机构的帮助，获得相关部门或群体支持，争取到更好的医疗资源。

（3）维护医护形象：媒体可以各种形式真实反映医护人员工作状态、临床工作所面临的困难、面对公共卫生事件时医护人员的英勇奋战、医患纠纷产生原因及危害等，帮助大众了解医疗工作的专业性、复杂性和艰难程度，体会医护工作的价值和意义，消除一些固有偏见，提高公众对医疗从业者的信任和尊重。

（4）监管医疗乱象：对于部分涉及虚假宣传、非法行医、医疗腐败、过度治疗等失德行为和乱象予以曝光，发挥媒体监管职能，及时处理解决相关问题，惩戒害群之马，助于医疗法规的进一步完善，保障医疗行业规范健康发展。

2. 存在问题

（1）报道信息不实：个别不良媒体没有遵循职业操守，为追求广告利益进行虚假宣传，为吸引眼球获取流量刻意制造话题，对医患纠纷未经严格求证便恶意剪辑、颠倒黑白，刻意抹黑医护人员形象，或对医护人员进行道德绑架等。虽失实报道属个别现象，但其社会危害性极大。比如公众熟知的“‘8·10’产妇羊水栓塞死亡事件”“深圳产妇肛门被缝事件”等均与事件起初媒体的失实报道有关，后被官方权威机构调查鉴定还原澄清事件真相，但此类事件对社会舆论的误导，加剧了医患之间的误解与社会矛盾。

（2）审查环节薄弱：由于大多数媒体从业者缺乏医学背景，很多涉医题材未经权威医疗机构的审查便报道传播，出现一些存在明显医疗常识性错误的影视作品、打着名医幌子进行虚假宣传误导大众的电视节目、毫无科学依据却流量惊人的医学类谣言、未经临床或实验验证的新技术新疗法、被刻意拔高的医生形象（将带病加班工作、超负荷疲劳行医、“跪姿”手术等“反常规”行为奉为英雄主义）。导致大众对各类医学观点愈加难辨真伪，对洗脑式的医疗保健类虚假宣传毫无抵抗力，对医务人员和医疗效果期望值过高等。以上情形的出现，均反映出媒体工作中存在着医学审查环节的薄弱或缺失。

（三）医媒沟通重要性

1. **助力医学科普**　《健康中国行动（2019—2030年）》倡导实施健康知识普及行动，鼓励各级电台电视台和其他媒体开办优质健康科普节目。媒体平台与正规医疗机构、权威医学专家通力合作，加强医疗信息审核，产出科学严谨的医学科普作品供大众学习参考。媒体可提供灵活多变的医学科普创作方式，降低学习门槛，提高大众接受度。同时，要与伪科学作斗争，破除社会流传度广、危害大的医学类谣言，提高公众对健康与疾病的认知水平。还原医疗的真实性，培养正确的医学观念，具备一定识别虚假医疗保健信息的能力，了解疾病早期征兆，掌握简单的急救技能，减少因处理方法错误就医不及时而导致的遗憾和悲剧。

2. **促进医患和谐**　媒体通过完善审核机制，对涉医题材进行科学严谨的报道，让公众了解医学中存在的不确定性、局限性、个体差异、概率问题、伦理问题及制度问题等，理解医疗行业特殊性，客观公正地反映医患双方存在的问题及困难，增进互相的理解与信任。借助媒体发布会、官方网站、新媒体平台等，做好国家健康政策的宣传与解读，让方针更好落地，惠及更多普通百姓，避免“不懂”与“误读”。呼吁社会各界相关部门的协调合作，帮助解决涉医问题，改善“看病难”“看病贵”问题，为特殊患者群体提供医疗救助。以此消除双方矛盾和误解，促进医患关系和谐向好。

3. **发展医疗“新媒体”**　越来越多的医生通过创建个人新媒体账号，打造个人品牌。通过新媒体发布健康科普信息，不仅能够展现医生专业实力，提高个人和医院的知名度，并可以培养科普写作、短视频制作、语言表达等综合能力。及时发现医学谣言，主动进行辟谣。积极转发健康科普知识，并能够学习领域内的最新医学成果及热点话题，便于学术讨论，提升个人能力。医生还能够与患者进行线上互动答疑，提供便捷的疾病咨询服务。通过知识付费，医生也能改善个人工作收入，在更好地服务大众的同时，体现其劳动价值。优化医师职称评定制度，将科普工作纳入绩效考核内容，激励更多实用型、互动型、全能型医学人才。

4. **升级就医模式**　近年来，很多互联网平台与媒体机构正竭力搭建在线问诊平台，能够顺应时代发展，充分利用技术优势，实现医疗模式的革命。在线问诊功能可以与门诊相互补充，在一定程度上缓解了医院拥堵、排队挂号费时费力等“看病难”的问题。在线查看影像资料、电子报告、快捷支付等功能，也大大简化了就医流程，提高就医效率。但同时由于医疗的特殊性和个体差异，有些诊疗过程目前还无法在线解决，需要进一步完善，但前景广阔。

（四）医媒沟通技巧

1. 信息共享加强合作

(1)涉医题材在媒体工作中所占比重较大，对公众医学认知水平影响深远，而且报道要求时效性，这就使得媒体工作任务繁重。医疗工作者精力有限，仅靠闲暇时间提建议、受邀参与节目制作难以满足媒体需要。因此，双方可以进行信息共享，寻求多方面合作。医疗工作者可运用严谨规范的医学知识，帮助媒体从业者提高医学素养；媒体机构可传授新闻传播学知识，帮助医护人员学习新媒体创作方法，从根本上提高媒体涉医题材报道、医学科普类作品的质量。

(2)媒体善于从病患角度进行报道和创作，反映对医疗的不满、误解及需求，而医护工作者善于从医疗从业者角度出发，结合临床经验与实际病例进行科普创作，导致观众接受度不高。因此，通过信息共享与合作，医护人员可以通过媒体更好地了解患者需求，媒体人也可通过医生视角获得更多创作题材。因此，应开展医媒沟通促进会、医媒交流课程讲座等，打破行业间的信息壁垒，共同为营造健康科学的医学传播环境贡献力量。

2. 尊重事实坦诚相见　面对涉医问题的报道，医生及医院方应积极做好解释工作，提供医疗行为的权威指南、操作流程的制度规范、诊疗建议的理论依据等。用证据和事实说话，客观全面地反映整个医疗事件。尊重并理解媒体的行业规则，不刻意隐瞒医疗行为中的过错，向大众展现医疗工作中存在的原则问题、制度问题，以及疾病与治疗的个体化差异，相信公众的是非评判能力。如有过失，坦然承担责任；如有误解，理性分析缘由；如有污蔑，勇敢坚持立场。不畏一时的舆论导向始终坚守底线，相信公平正义。

3. 协力做好内容审核　鉴于大众对医学知识及观点的获取主要通过新闻媒体，因此应构建合理规范的医学内容审核制度，可设立权威的医媒合作审核机构，对涉医内容的真实性及医学观点的科学性进行把关，避免虚假报道、恶意剪辑等问题的出现。个别影视作品，创作过程粗制滥造，涉医题材作品歪曲事实，展示的医疗行为低级错误百出，需经医学专业人员进行审核指导修正，降低对观众的误导。再者，越来越多的医生通过个人创作、发布及转发科普类文章或视频，新媒体已然成为大众获取医疗信息的主要途径，但创作医生的资质、内容也应进行严格认证和审核，保证医学科普作品的质量，避免出自医生之手（口）的“假科普”流行。

4. **完善平台举报机制**　由于自媒体时代人人都可以是创作者，其中不乏存在认知偏差、谋取私利、恶意攻击，甚至宣扬伪科学以赚取流量的个人或团队，导致信息平台充斥着大量误导性医学健康观点。并且，目前某些媒体平台仍存在无投诉及举报功能、投诉后处理不力、缺乏医学背景工作人员、将医学谣言持续推送反而对正规科普进行下架限流等问题。因此，投诉举报制度应进一步予以完善，使医务工作者可随时与媒体工作者进行沟通交流，及时发现并通力协作，通过商讨及时终止不良内容的传播。

5. **加强社会法律监管**　对于出现的医媒利益勾连、夸大涉医广告宣传、恶意或不实涉医报道、散播低俗内容或谣言、患者或医护隐私泄露，以及涉及医媒双方的各种侵权行为，造成严重后果且医媒双方沟通协商阻碍较大的情形，应由社会监管部门进行监督调解，用法律途径保障医媒双方的合法权益。

（五）案例分析

案例 1：“八毛门”事件

2011 年 9 月 5 日，陈先生向媒体爆料：自己刚出生 6 天的婴儿因腹胀无法正常排便至深圳市儿童医院就诊，医生考虑孩子为先天性巨结肠，建议做造瘘活检手术，手术费用需 10 万元，而学医的父亲陈先生签字拒绝手术，到另外一家医院仅用了 0.8 元的液状石蜡，便把孩子治好了。如此反差一经报道引发公众极大关注，网民纷纷指责医院过度医疗和牟利动机。虽深圳市儿童医院召开新闻发布会解释患儿确实存在手术指征，且手术费 10 万为家长杜撰，但该事件仍使医院公信度受损，很多患儿家属受此事件影响拒绝手术治疗，导致部分患儿错过最佳治疗时机。之后，陈先生儿子经多次复诊最终确诊为先天性巨结肠，并经手术治疗康复出院，治疗费用为 2.4 万元。当事人陈先生委托武汉华中科技大学附属同济医院向社会公布他的感谢信和致歉信。于是，“八毛门”事件使得社会舆论关注焦点，从谴责“过度医疗”转为反思医患关系。

【解析要点】 在该事件中，作为牙科医生的陈先生虽然具备了一定的医学背景，却依然因为对其他医学类学科知识的欠缺和对医疗环境的不信任，做出了较为偏激的主观判断，并单方面向媒体报道，引发这场舆论风波。整个事件暴露出医学知识的专业性和复杂性，即便是医生群体在不同科室之间尚且存在认知差异，何况毫无医学背景的普通公众。同时反映出媒体在对医疗事件进行报道时，仅靠本行业的素养难以做到明辨是非、客观公正的报道。在医患关系依然紧张的社会氛围下，负面报道更能轻易触发公众热评，影响舆论风向。事件反映出：医疗话题新闻出现纰漏是容易的，不良事件对医疗行业和群众健康的危害是双向的，做好医媒沟通，实现客观、公正的报道，以及营造医患和谐是意义重大且刻不容缓的。

案例2：医学科普能救命

“刷医学科普短视频，我学会了心肺复苏急救术！”“发生烫伤时不要再往皮肤上抹酱油啦！”“模仿电影《人在囧途》中民工牛耿救助枣核卡喉老太太的片段，我用海姆立克法救了自己妻子一命”“脑中风FAST帮大忙！因为发现和治疗及时，我的父亲躲过了一次鬼门关”……

【解析要点】 近年来，随着医学科普工作的大力开展，已经有越来越多的患者和家庭从各大媒体平台所科普的急救知识和技能中获益。这充分体现出医疗与媒体的完美合作，对提高公众医学健康知识水平、减少个人和家庭悲剧发生，以及构建和谐有序医疗环境意义深远。

课后习题

1. 请列举医学传播的六大特质。
2. 请列举两个最感兴趣的医学传播形式并就其中一种形式展开具体介绍。
3. 请简单阐述医患沟通的定义。
4. 如何有效读懂患者内心的世界，促进医患关系和谐构建？
5. 请结合自己的实际经历谈谈医媒沟通的重要性。

参考文献

[1] 陈晓阳，周志新，杨同卫．医学传播的社会责任与伦理思考 [J]. 中国医学伦理学，2014, 27 (1): 9-11.

[2] 文绪．医学传播多重性背景下信息框架三个转变研究 [J]. 今传媒，2017, 25 (4): 133-138.

[3] 商旸．关注医患纠纷，别轻易下结论（民生观）[N]. 人民日报，2014-08-14 (16).

[4] 李欣，彭毅．看见“医与患”：健康传播视域下的医患关系研究 [M]. 北京：中国社会科学出版社，2021.

[5] 王扬．媒介守望的迷失——从深圳“八毛门”事件看新闻专业主义的失守 [J]. 记者摇篮，2011, 42(12): 72-73.

第六章　医学传播评价

课程要求

1. 熟悉医学传播评价的定义和作用。
2. 熟悉医学传播评价的三大类别。
3. 理解效果评价中的各项内容。
4. 理解效果评价中的主要方式并学会应用。

一、评价的概念和目的

医学传播学是医学与传播学相交叉诞生的新兴学科，传播学的主要研究内容包括了内向传播、人际传播、公众传播和组织传播等，而广义的医学传播学其实是属于公众传播的一种。因此，将传播学尤其是公众传播学的有关理论来研究评价医学传播学具有较强的指导意义。例如传统上科研评价的指标往往是论文和著作的数量、科研经费和科研项目，也有科研人员从事科学传播工作考核体系的主观性指标。但是随着科技创新活动从追求数量转变为追求质量的重要举措，使用单一指标已无法衡量科研和学术价值的多元性，分类评价、同行评价、代表作制度这些体现定量与定性相结合的评价原则更有利于评价，医学传播学也要因“类”制宜，它的内容涉及影响健康的个人、群体、社会文化及社会政策等诸多因素，因此我们更需要对医学传播进行周密的、科学的系统评价，建立健全分类评价体系。那么通过结合既定的步骤、框架和模式，对医学传播进行判断、分析后的所得出的结论，就被称为医学传播评价。其目的是更好地对医学传播学的研究和实践工作起到指导和促进作用。

二、评价的分类

哈罗德 . 拉斯韦尔（Harold Dwight Lasswell）是传播学的奠基人之一。他在 1948 年撰写的《传播在社会中的结构与功能》一文里面，首次提出了构成传播过程的 5 种基本要素，并按照一定结构顺序将它们排列，形成了后来人们称之“5W 模式”或“拉斯维尔程式”的过程模式。这 5 个 W 分别是英语中 5 个疑问代词的第一个字母，即：谁（who）→说什么（what）→通过什么渠道（in which channel）→对谁（to whom）→取得什么效果（with what effects）。

传播的主体“谁”就是个人或组织机构，这是传播的第一要素。传播必须明确主体，这是由传播的目的和责任所决定的。传播过程中涉及专业知识的把控，甚至还有利润的产生，这些都是需要明确具体责任。

传播的客体是“说什么”，即讯息或信息。这是传播的第二要素。信息具体是指思想观念、感情、态度等，这里的信息不是泛指任何方面的信息，而是限于受众所“诉求”的信息。只有把需要的信息传播给受众，才能实现传播的目的。

传播的第三要素即“媒介”——即所通过的媒介或渠道。传播媒介把信息转化为“适当的符号形式”，只有经过这种转换才可能实现跨越时空的传播。这里“适当的符号形式”，意思是指通过特定的媒介或渠道，把信息变成文字、图像、视频，或变成语言等符号形式，被传播对象所接受。由于选择了不同的媒介和渠道，则信息或者变成文字或者变成图像也就会随之相应地改变。

“对谁”是指传播的对象，也就是信息的接受者或受众。作为第四要素，传播对象非常重要，没有对象的传播是毫无意义的，即使有些传播行为不能具体确定受众者人在哪里、人数有多少、是哪些人，但这并不妨碍传播是针对某些人来进行的。事实上，在开始发起传播活动时，总是以预想中的信息接收者为目标的。

“效果”是指实现传播的目的或效果，一个信息传播者向接受者发出信息的过程，还包括信息的接受以及由接受者作为反应的反馈过程在内，是传播、接受、反馈活动的总和。这就是传播活动不应看成是一个单向的直线性的传播，而是由接受者和反馈信息构成的一个不断循环、发展、深化的连续而又完整的过程。

拉斯韦尔“5W 模式”将传播活动分解成了传播主体、传播内容、传播媒介、传播对象、传播效果5个要素,在医学传播中分别对应科普主体、科普内容、科普媒介、科普对象、科普效果。基于医学传播5个要素既有独立性又有相互联系的特点,构建了一个评价医学传播的框架模型,主要包括医学传播主体、内容、方法、能力4个维度。

在建立传播效果评价模型时,第一,要选取影响传播效果的指标,选择的指标要带有充分的信息。在进行评估网络传播效果评估的指标选取时,要考虑网络传播的业务效果与社会效果,同时要兼顾网民与媒体两个信息接收层,指标选择要多样化,以建立科学的评价体系;第二,采集样本的指标数据,并对数据进行分析和处理,最好将数据处理为无量纲的可以量化的数据,减少误差;第三,确定各个指标对传播效果影响的权重,并生成传播效果评价指数的相关计算公式;第四,根据建立的公式,带入相关指标数据,便可以计算传播效果指数分值。

评价是客观实际与预期目标进行的比较,是一个系统地收集、分析、表达资料的过程,贯穿整个医学传播过程的始终。评价是为了解医学传播的效果,对医学传播过程全面检测、控制,以最大限度地保障传播的先进性和实施质量。医学传播评价结果可以检验目标是否实现,使用的方式是否合适有效,传播效果是否高效率,按照这样的评价标准,医学传播学评价的分类可以包括形成评价、过程评价、效果评价。

(一) 形成评价

形成性评价(formative assessment)中"评价"一词对应的英文是"assessment",其词根源自拉丁语"assidere"(坐在旁边),即教师坐在学生身边支持学生学习。"形成性"(formative)主要体现在教学中形成并促进学生的发展。尽管不同学者对形成性评价内涵的理解不完全相同,但基本达成共识:形成性评价是教师依据实际课堂教学目标有计划地运用多种策略或工具,收集并运用学生学习进展证据,反馈并调整教学,以满足学生学习需求并促进其学习的过程。从以上定义中可以看出,形成性评价不是一种评价标准,也不是单一的评价手段,而是一个过程,是教师依据学生需求,不断调整教学以促进学生发展的过程。根据形成评价的定义,在医学传播过程中,往往是通过传播方案、进程、进展情况和存在问题,做到及时反馈,及时改进、调控、矫正,以达到更好的传播效果。例如,临床医生将专业知识经过医学传播学的方法加工过程,不断优化向公众进行传播。这个准备的过程,为了对信息进行更好地把关,进行反复的校对验证，属于形成评价。

形成性评价的方法多种多样，既有传统的量化评价，又有定量评价和价值判断。一般地，按评价主体的不同，分为自我评价、同行互评、专题小组讨论、专家评价；按照评价工具的不同，分为行为观察、真实记录、调查问卷设计、知识问答、访谈、评价量规、问卷调查、网上评价等；按照评价的时机，又可分为即时性形成性评价和延时性形成性评价。医学传播中形成评价的内容具体可以概括为：①了解目标人群的基本特征；②了解目标人群对于问题的看法；③文献资料的加工；④分析医学传播方法的适应性；⑤针对潜在问题的发生及时调整机制。形成评价有利于提高发现问题、解决问题的能力，增强计划的科学性，为计划的可行和有效推进奠定良好的基础。

（二）过程评价

过程性评价是个人对学习过程的一种反映，是个人发挥主观能动作用的认知过程。过程性评价的实施需要人的意志参与，作用于过程性评价的各个环节，调整评价注意中心、选择评价参照体系、控制人的情感因素以避免过程性评价中渗入太多的感情色彩。将过程性评价的目标始终定位于为了学习者知识的获得、技能的培养、能力和素养的形成；医学传播的过程是使公众获得常见的医学知识，提升判断谣言真伪的能力，增加对人类疾病的接受与理解并有所发展的过程。客观地讲，医学传播过程本身是一种实践过程，它是一种社会实践。掌握、控制与推进这一实践活动，需要在实践活动中实施评价。缺少过程性评价这一内嵌于医学传播过程的认识环节，就难以知晓医学传播过程的真正意义与价值，也就难以指明正确改进医学传播过程、提高传播效率应该采取的措施。过程评价是在进行医学传播开始之时，贯穿于计划执行的全过程，并能修正计划。

过程评价的内容为针对个体的评价内容：哪些个体参与了该医学传播活动？是否按照既定的目的顺利进行？个体的反应如何，参与度如何？实施方法包括现场观察、社区及目标人群调查与访谈。评价指标包括开展情况（传播普及率、覆盖率），参与情况（群众参与率），干预有效指数（群众满意程度）。过程评价的质量控制包括内部质控和外部质控：内部质控，项目内部工作人员进行过程评价时，严格掌握评价标准；外部质控，由项目外、有项目评价经验的人对过程评价进行质量控制，如专家小组审查，在计划实施早期意义尤为重大。

（三）效果评价

效果评价（effectiveness evaluation）是衡量规划、项目、传播过程经过实施活动所达到的预定目标和指标的实现程度，将传播活动的实际与预期进行比较，是一个系统地收集、分析、呈现资料的过程，贯穿这个医学传播的过程始终。在医学传播活动中，制定项目计划应根据人群卫生需求所要解决的健康问题，以改善人群健康状况、提高生活质量为最终目的。

效果评价的内容包括：①倾向因素，例如倾向吸烟或戒烟的愿望、信念、知识和态度等，主要是指主观因素，通常先于行为，是产生某种行为的动机或愿望，或是诱发产生某种行为的因素，主要包括知识、态度、信念及价值观，一般可把倾向因素看作个人的偏爱，这种偏爱不是趋向于有利的健康行为，就是趋向于不利的健康行为；②促成因素，又称实现因素，指促成或阻碍健康行为动机得以实现的因素，包括实现健康行为所必需的技术、物质基础、社会力量等，如卫生机构的可及性、家庭收入、健康保险、政策、法律法规；③强化因素，指目标人群在行为改变后所获得的各种正向或负向反馈，其对人们的健康行为起到激励、维持与发展、强化行为或削弱行为的作用。强化因素包括社会支持、同伴赞许、亲属肯定与鼓励、医务人员激励、个人感受等；④健康相关行为，指任何与疾病预防、增进健康、维护健康及恢复健康相关的行动，这类行为可以是自愿的，也可能是非自愿的；可以是直接以健康为目的的主动行为，也可以是遵守法律或规定的被动行为。

效果评价的指标包括医学素养的提高、医学常识的普及率、行为发生率、行为改变率。由此可见，效果评价可以从认知层面、心理情感层面、行为层面等进行具体的评价。基于医学传播的逻辑顺序，医学传播的效果可分为近期效果、中期效果和远期效果。近期效果即进行医学传播实施后，目标人群率先表现的效果，一般为认知的改变，如医学健康知识的增加、健康观念的转变、健康行为的改变等。近期效果可以使用医学常识得分衡量，如高血压知识合格率、糖尿病知识知晓率。也可以表现为医学素养观念的形成，产生定期健康体检的意识。还可以对健康行为进行改变，如控烟戒烟。

中期效果是在取得了近期效果之后进而引发的目标人群行为改变情况，以及政策、环境支持条件的改变，这些改变需要建立在各级目标人群对健康问题的认识以及知识和技能提高的基础上，产生的时间是滞后于近期效果的。

常见的中期效果评价指标包括：①行为流行率，如吸烟率、母乳喂养率、手卫生率；②行为改变率，如戒烟率、服用药物依从性的提高幅度；③政策、环境的改变情况，如新冠肺炎疫情防控政策，社会对健康知识的舆论变化。

远期效果评价又叫结局评价（outcome evaluation），结局评价又分为效果、效益和成本 - 效益、成本 - 效果，指的是医学传播项目实施后目标人群医学素养的提升以及生活质量的改善情况，形成长久的健康行为。效果评价指标包括：①目标人群生理、生化指标，如血糖控制率；②疾病治愈率，如结核病治愈率；③发病率，如脑卒中发生率，疫苗接种率。

效果评价的主要方式涉及两个概念，定性分析和定量分析。关于定性研究的定义，目前还没有一个统一的观点。国外学术界一般认为定性研究是指：在自然环境中，使用实地体验、开放型访谈、参与性与非参与性观察、文献分析、个案调查等方法对社会现象进行深入细致和长期的研究。分析方式以归纳为主，在当时当地收集第一手资料，从当事人的视角理解他们行为的意义和他们对事物的看法，然后在这一基础上建立假设和理论，通过证伪法和相关检验等方法对研究结果进行检验。个人背景以及和被研究者之间的关系对研究过程和结果的影响必须加以考虑。研究过程是研究结果中一个必不可少的部分，必须详细记载和报道。对于医学传播效果评价，常见的定性研究方式包含以下 3 种。

（1）访谈法：指研究者通过与受访者一对一沟通的方式，全面了解受访者的心理和行为的研究方法。访谈法又分为结构式访谈和半结构式访谈。结构式访谈是一种高度控制的访问，访谈的整体外部环境被高度控制，访谈的问题也有相应标准，确保整个访谈过程的统一性，因此，结构式访谈更有利于数据收集和学术研究开展。半结构式访谈是指按照一个粗线条的访谈提纲进行一系列访谈的研究方法。与结构式访谈相比，半结构式访谈的整体外部环境受控制程度较低，访谈者可以根据实际情况对访谈活动进行灵活调整。因此，半结构式访谈更有利于为受访者营造一个更为宽松自由的环境，可以获取到更多真实信息。但是，由于整个访谈过程受控制程度低，因此从研究角度考虑，存在的个体差异及其他干扰因素较多。

（2）观察法：观察法是指根据既定的研究目的、研究提纲等，对被观察者进行直接观察，了解观察者的行为习惯等。传统的观察法多是依赖于个人的主观行动获取信息，因此，为避免获取的研究信息过于主观化，也为了避免人的感觉器官上的局限性，现在的研究者会更多利用照相机、录音机来记录所观察事物，尽可能确保所获取信息的客观性。

(3)个案调查法：个案调查法也称个案研究法。是对某一特定单位、组织、现象或主题等开展的深入全面的研究。医学传播活动兼具统一性和特殊性的特点，因此，将个案调查法用于医学传播效果评价十分重要。个案调查既可以从静态角度着手，通过搜集现有的资料、文献（如健康素养水平、健康生活习惯量表）等对医学传播效果进行评估，也可以从动态角度着手，调查者与被调查者深入交谈，或对被调查者进行实地观察，从而搜集对方对医学传播活动的想法、个人偏好、真实的健康行为等。因此，个案调查的使用，也充分结合了其他定性研究方法，力图科学全面地反映所研究个案的特点。

而定量研究方法通过收集的数据以此证实理论和猜想。收集的数据是该主题相关的事实信息。定量研究可以用如下方式收集事实信息。

(1)问卷调查法：问卷调查是指调查者运用统一设计好的问卷，通过电话、网络或实地调研向个人进行调查，询问一系列问题，这些问题以单选、多选或评分的方式出现。问卷一般由标题、问题和答题要求、编码和其他资料组成。

调查说明是对整份问卷的介绍，应包含问候语、问卷的研究目的、问卷内容、填写问卷的要求、回复问卷的方式和时间、调查的保密原则；问题和回答方式是问卷中的核心内容，一般包括所要调查的问题和答题说明（如单选题或者多选题），以及关于回答问题的一些具体指导说明；编码是为了区分每份问卷所使用的一个代码，以便后续进行数据处理时能够区分开不同问卷；其他资料包括问卷名称、研究者个人信息、联系方式等。

论文写作中，在用数据表格汇总调查结果前，研究者可以先向读者介绍调查的时间、地点、接受调查的有关人员、耗时多久等情况，以及问卷回收率等。此外，可以将完整的调查问卷收录在附录部分，让读者能更清晰地理解收集的数据。

(2)实验法：实验法是指在对照环境下进行实验，然后从中获取数据。这类数据通常在控制变量进行实验的情况下用于确立因果关系。论文写作中，可以完整阐述实验是如何设计的（例如组间设计或组内设计），使用了哪些工具、技术，以及完整的实验流程是什么样的。随机对照试验（randomized controlled trial，RCT），常用于医学、生物学、农学，医疗卫生服务中也常用这种方法来检测某种疗法或药物的效果，同样也可以将其应用于医学传播学的评价效果研究。随机对照试验的基本方法是，将研究对象随机分组，对不同组实施不同的干预，以对照效果的不同。这种方法能够最大限度地避免临床试验设计、实施中可能出现的各种偏倚，排除非干预因素的干扰，提高统计学检验的有效性，因为这些诸多优点被公认为是评价干预措施的金标准。例如下面两个具体的方案。

1）不设对照组的干预前后测试：指的是在实施医学传播前，对目标人群的有关效果指标进行测量，然后再实施干预，干预活动全部结束后，再次对目标人群的有关效果指标进行测量，比较干预前后两次测量结果，得到各项指标的变化情况，从而显示医学传播实施后产生的效果。此方案的优点是操作简单、省时省力，但由于该设计方案不能排除非干预因素的影响，所以只有在非干预因素在干预前后保持不变的情形下，才能较为准确地反映医学传播效果。该方案适用于周期短、环境稳定的医学传播项目的效果评价，比如对于某个社区开展糖尿病知识的医学传播，在进行传播前，先测量该社区人群的糖尿病知识知晓率，在进行传播以后，再次测量该社区人群的糖尿病知识知晓率。这就是不设对照组的前后比较方式。

2）设对照组的前后测试：其设计思想是将目标人群设定为干预组，并为目标人群选择具有可比性的另一人群作为对照组。在对目标人群实施干预前，同时对干预组和对照组进行有关效果指标的测量，然后仅对干预组施以医学传播进行干预，对照组则保持自然状态，所有的干预活动结束后，再次对两个组的有关指标进行测量，对两次测量所得到的四组测量值进行双向比较，从而确定医学传播效果。这种研究易于实行，同时适用范围较广，特别是干预研究项目。比如，选择某一社区中的人群作为干预组，选择相邻的环境、生活条件相似的另一社区中的人群作为对照组，测量两组人群的防疫知识的知晓率，然后对干预组的人群进行有关公共卫生知识防控的宣教，对照组则保持自然状态，经过数月至数年的观察后，再次测量两组人群的防疫知识知晓率。这就是设对照组的前后测试。

(3)现有数据法：现有数据法是指从现有的资料中收集数据(例如公开出版物或归档数据)，将其用于研究分析。论文中可介绍研究背景，包括资料、数据的来源信息，数据范围及其选择标准，对数据所做的处理。

(4)内容分析法：内容分析法是指系统性地根据特定词汇或文本来分析沟通模式。换言之，其实质是一种半定量的研究方法，其基本做法是把非量化的一些文字表述、符号通过仔细地阅读分析，转化成可量化的定量数据，并通过数据分析得出研究结论。

课后习题

1. 简要阐述医学传播学中形成性评价和过程性评价的差异。
2. 请列举医学传播学效果评价中的两种方式并做简要介绍。
3. 请简要介绍对照实验研究。
4. 请阐述实验研究法的优势。

参考文献

[1] 李颖，顾春雅，卢峪霞，等．综合性大学医学传播学通识课程的实践探索 [J]. 中华医学教育杂志，2021, 41 (12): 5.

[2] 朱锡莹．健康传播学初探 [J]. 医学与哲学，1993, 14 (6): 47-49.

[3] 尹达．我国医学领域开放存取型学术期刊传播效果实证研究 [J]. 图书情报工作，2009, 53 (10): 5.

[4] 高海波．拉斯韦尔 5W 模式探源 [J]. 国际新闻界，2008, 31 (10): 37-40.

[5] JAMES L C, KLAPPROTH J F, FIEBIG D. Medical Communication [J]. Science, 1958, 128 (3316): 133.

[6] KARMOUCH A, OROZCO-BARBOSA L, GEOGANAS N D, et al. A multimedia medical communications system [J]. IEEE Journal on Selected Areas in Communications, 2006, 8 (3): 325-339.

[7] Usability evaluation of the Computer-Based Health Evaluation System (CHES) eDiary for patients with faecal incontinence: a pilot study [J]. BMC Medical Informatics and Decision Making, 2022, 22 (1): 1-11.

第七章　医学传播效果影响因素

课程要求

1. 理解传播渠道和信息接收者个体差异是如何影响医学传播效果的。
2. 了解新媒体传播的机遇与挑战。
3. 理解不同种类健康信息如何与传播渠道匹配。

一、传播渠道对医学传播效果的影响

(一) 传播渠道技术内容的匹配

将健康信息转变为公众可以理解的信息形式和内容,并完成传递和分享行为及过程,需要一定的载体,而不同的健康信息内容具有不同的特点,不同的渠道载体也存在不同的传播优势,因此实现传播效果的最大化需要保证传播渠道技术与内容的匹配性。结合前人研究,目前信息传播渠道主要包括:①纸媒传播,传统上报纸、杂志等以纸张为载体的媒体形式;②电报传播,信息化时代的开端,学界对电报传播的研究主要集中在新闻研究领域;③影音传播,主要包含了电话、电台、电视和电影相关的传播渠道;④新媒体传播,数字时代下新媒体传播是信息科普最主要的形式,新型媒介以数字技术发展为基础,如网络通信软件、社交平台、门户网站、短视频平台等,具有信息源广、交互性强、准时性高、时空限制低的特点。因此,健康信息的传播需要结合具体渠道特点以实现最优的宣传效果,如下表所示。

健康信息与传播渠道的匹配机制

健康信息类型	内容	信息特点	传播特征	渠道匹配
医药卫生政策信息	涉及中央或地方政府制定或颁布法规文件、医药指南白皮书、医药卫生信息统计数据及政策解读等内容	准确、权威、覆盖广	平均传播层级为5级，传播层级比较深，呈链式逐层传播	以阅读传播为主，公众舆情平台为佳，主要为图文形式，例如微博、新闻资讯平台
医学类健康信息	医学前沿类微信文章内容，涵盖新型药物研发、疾病诊疗新技术新手段及生物医学材料创新等内容	准确、权威、有针对性	平均传播层级为5级，传播层级比较深，呈链式逐层传播	以阅读传播为主，公众舆情平台和私人社交工具等，主要为图文形式、视频形式，例如以微博、微信、短视频平台、新闻资讯平台等
健康科普类健康信息	健康科普类微信文章内容涉及公众所关心的急救知识、妇幼保健、常见病防治信息及营养膳食等内容	准确、权威，具有分享性	平均传播层级为3级，呈网状辐射传播	以阅读传播为主，以社交工具、图文形式、视频形式等易分享形式为主要途径，例如微博、微信、短视频平台、新闻资讯平台等

（二）新媒体渠道的机遇与挑战

相较于传统的传播渠道，新媒体渠道在健康信息传播上具有不可比拟的优势，但其优势同时也带来挑战。

1. **信息源广和信息辨析的矛盾**　新媒体渠道分布多，因此其科普信息来源途径也更广，既可以来自于门户网站的热点新闻，也可以是社交平台上的热点问题，庞大的信息来源促成了丰富的健康信息内容生态，弥补了传统媒体渠道在健康信息传播上存在的滞后性和单一性问题。但正是庞大的信息来源也给受众带来了信息筛选的困难，由于信息源广，其质量也参差不齐，权威性也很难处于同一水平上，因此受众很难在众多健康信息内容中筛选出有效和高质量的健康信息，存在较多被错误信息误导的情况。

2. **交互性强和舆情危机**　新媒体渠道最大的特点就是交互性强，属于双向互动型，信息发布者和信息接收者可以进行互动交流，有利于进一步提升信息的传播效率和覆盖率，以及信息质量的把控，同时促进了传播信息的自传播，改变了传统媒体渠道单向传播层级低的现状。交互性强的情况下，受众未全面了解信息后会产生恐慌、焦虑、愤怒等情绪，在自传播的相互影响下，谣言会迅速扩散，从而会产生信息发布者的舆情危机，进而导致公共管理成本增加。

3. **不受时空限制**　传统媒体渠道在信息发布时会受到客观条件的限制，如介质、天气、交通、时间等，但新媒体渠道，让受众可以随时通过电子设备查阅自己感兴趣的内容，并且所查阅的信息可以随时保存以便于事后回顾。

4. **准时性和信息超载**　传统媒体渠道受限于传播介质，很难机动灵活向公众传播突发信息。但是新媒体渠道下，受众可以随时或者自主选择一段时间内接收相关的健康信息。信息的密集发布同样会给受众带来信息超载问题，加重了受众对健康信息的识别和辨析的困难程度。

二、信息接收者个体差异对传播效果的影响

（一）受众人口学特征影响

1. **收入**　媒体传播渠道为不同收入群体提供了解健康信息的机会，根据中国互联网络信息中心的数据，截至 2020 年 6 月全国互联网新闻用户达 7.5 亿人，为全国网民的 77.1%，用户基数庞大，覆盖广泛。渠道的丰富有助于人们从多种渠道获得相关健康信息，包括互联网、医生、健康专业人士、印刷材料（如报纸、小册子或杂志），以及朋友和家人等渠道。其中，人口学特征也会影响信息接受的质量和效率。国外研究表明，在较低收入的互联网用户中，只使用社交媒体的比例更高。但国内媒体渠道覆盖更为完整，例如国内研究表明新生代农民工最常使用的媒介是手机和电视，使用电视主要用于收看娱乐、体育类节目和电视剧，有时也会用来收看新闻和生活科普类的节目，虽然在渠道上收入所带来的差异并不大，但是不同收入群体对信息接收和加工存在影响，尤其是低收入的智能手机用户，他们更可能依赖智能手机作为上网的主要来源，但一般来说收入水平较高的人群，更有可能主动上网寻求健康信息。

2. **教育水平**　整体来讲，教育水平与寻求健康信息的主动性存在着显著的相关。受教育程度较高的受众更可能使用互联网作为健康信息的来源。互联网是一个实用和经济有效的健康信息来源，由于它的普遍性，它将为个人、家庭和专业人士提供获取信息的途径。但即使互联网健康信息传播非常便

捷，受教育水平较低的人群依然容易被忽视。而且目前国内人群受教育水平的差距较大，如果过多地注重数字媒体渠道容易产生不可忽视的数字鸿沟效应。因此，对待受教育水平高的人群，应该注重健康信息的质量和精准性。同时也不能忽视健康信息的普适性和易分享性，以促进健康信息更好地在受教育水平低人群中进行传播。

3. **年龄**　根据第七次全国人口普查主要数据结果，我国65岁及以上老年人群已经达到1.9亿，这一人群对健康信息需求大，但传播上目前存在着较多待改善的问题。之前的研究确定了媒体使用动机和模式的年龄差异，表明微信使用、谣言焦虑和传播谣言的意图之间的联系也可能随着年龄而变化。例如与其他年轻人占多数的社交媒体平台相比，微信用户的年龄分布更为广泛，拥有5 000万老年人微信用户，微信首次让中国老年人接触到大量有争议的信息和观点。必须认识到，老年人使用社交媒体的挑战可能更为严峻。例如，随着人们年龄的增长，如果他们经历了与年龄相关的认知衰退，他们可能会在管理信息超载方面经历更多的困难。先前的研究报告说，老年人更容易受到新闻过载的困扰，以及在网上搜索效率的降低。因此，针对老年人的健康信息传播应该注重降低信息的获取门槛，以及在信息的阅读呈现上做好相应的调整。进一步来说，针对老年人的健康信息传播，需要注重信息发布者及渠道的权威性，避免对老年人群体产生误导性。

4. **性别**　性别同样会影响健康信息寻求的相关行为，有证据表明，女性更频繁地使用与健康有关的互联网。除此之外，国外研究者发现不活跃的健康信息寻求者是：年轻人、男性、受过高等教育、来自高收入家庭。一些研究人员特别考虑了性别和其他人口统计数据的影响，表明女性是互联网健康咨询的主要用户，但这种性别化的行为主要集中在年轻人中，女性比男性更有可能同时咨询互联网和卫生专业人员，而且更有可能信任这些不同的信息来源。虽然互联网用户中男性比女性更活跃，但女性更有可能进行在线健康信息搜索。综上，考虑到性别在健康信息传播所存在的差异，健康传播需要结合性别角色在信息寻求时所处的情境。传统上，育儿活动中，女性作为家庭健康守门人的传统角色，加上她们作为家长的角色，导致更多女性参与健康信息搜索和信息使用。同时女性对认知表现出更大的兴趣，比如她们更关注阅读和理解信息的容易程度，而男性更关心信息的全面性和准确性，以及获取信息的方便程度。因此健康信息的传播需要考虑到不同性别受众群体的偏好差异，在一些性别化的健康内容上考虑目标性别对象的特点。

5. **城乡差异** 虽然最近5年来，无论是城市、农村还是农村贫困地区，居民的人均可支配收入都在增加，且城乡收入比以及农村与农村贫困地区的收入比都在不断下降，但由于城乡二元体制的长期存在，中国的城乡差异问题也一直是不可忽视的影响因素，一般来说，农村地区医疗条件不及于城市，农村地区的医疗健康知识传播还是依赖于传统的医生、护士和相关从业人员在农村提供诊疗、健康服务促进信息传播。但此种方式缺乏长期的卫生管理支持，容易造成农村医护人员的疲惫感和压力情绪。因此，面临农村地区信息弱势的局面，健康信息的传播除了要加强对传统媒体渠道的侧重，同时也需要注重发挥新媒体渠道的作用，因地制宜，以村为单位设置相应的健康信息促进员，以点带面，以点促区。也可以采用“结对子”的方式，点对点地对所辖乡村开展一系列的健康教育信息帮扶工作，并对帮扶的效果负责。这样一来，能够打通城市、乡村在信息沟通上效率屏障。

（二）受者的心理特质因素影响

1. **风险框架** 受众对风险和功效的认知在健康信息搜寻研究中占有核心地位，常用的是风险认知态度框架，其根源可以追溯到1992年Witte's提出的扩展并行过程模型(EPPM)。EPPM描述了个人在面对恐惧上诉时所经历的两个不同过程。第一个过程，控制危险，即信息接收者需要采用信息传播者的建议来处理风险。具体说来，是指那些信息接收者认为自己处于危险之中，相信处理危险的建议是合理并被采纳的，并且愿意为此付出行动来处理这些风险；第二个过程是控制恐惧。经历此过程的信息接收者处于危险之中，但缺乏自我效能和/或怀疑建议有效性，因此他们并没有采纳信息传播者的建议且改变其行为，相反，他们采取一些与之违背的措施来控制恐惧，包括拒绝或忽略信息、贬损沟通者、忽视个人弱点。对于风险持有不同态度的个体，通常面对具有风险和负面作用的健康信息时会持有不同的态度。例如，回避型人格的人认为自己处于高风险状态，但他们的自我效能感通常比较低，这导致他们即使意识到自己处于高风险中，也不愿意接受信息而做出改变。感知风险效能低的个体被归类为无关紧要的，因为他们没有寻求信息的动机。因此，对于健康信息传播者来说，需要关注到信息接收者对待风险态度的差异性，在信息的设计和渠道方式上应注重引起回避型人格个体的重视，例如通过对健康生活方式的宣传以唤起回避型人格个体对健康的重视。

2. **思维风格** 个体的长期文化差异既存在于他们的思维方式中，也存在于他们的动机取向中。这些文化差异是有据可查的，亚洲人更倾向于关系型思维，处理信息的相关特征和他们的语境，而西方人则更倾向于独立思考。此外，个体在对事件焦点的关注上存在差异。注重预防和警觉性较强的个体更积极地最小化一项决定的负面后果，而对事件普遍持有乐观态度的个体更看重一项决定的正面作用，而往往忽略思考其负面影响。不同的思维方式和关注焦点的差异对健康信息的接收也存在显著的影响，当人们处于健康高风险状态，他们会被激励以提高警惕的方式看待自己的情况；相比之下，当人们处于健康低风险状态时，他们则应在注重预防的基础上保持乐观心态，以此来维持他们良好的身心状况和认知特点。由于新媒体传播渠道的信息来源和内容形式的丰富性，在信息丰富的环境中，一个特殊的挑战是接触到临时的、矛盾的或有争议的科学证据。所以在健康信息丰富的环境中(如互联网)处理大量易于获取的(科学)信息，往往存在着不一致或相互冲突的情况，受众不得不为接收到的信息不一致找到充分的解释。对于这一种能力一般称之为认知灵活性，即当处理结构不良的内容，如不一致和冲突的科学信息，并不仅仅意味着要从不同的角度表示知识或重组一个人的知识以适应不断变化的情景需求，也意味着在调整科学知识中的不确定性的灵活程度。因此，高认知灵活性个体在处理互联网上的信息时，他们会以各种方式根据特定的情境调整自己的信念。但是对于低认知灵活性的个体来说，很难处理好相互矛盾的信息，因此健康信息的传播过程中应该注重对低认知灵活性个体的内容匹配，加强内容的一致性和渠道的权威性。

(三) 受者的状态性特质因素影响

1. **信息超载**　信息超载可以定义为信息量超过个人信息处理能力的状态。在过去几十年，相关健康信息的可获得性和复杂性不断扩大，尤其是通过网络信息来源，这加剧了健康信息的超载问题。信息超载会导致一系列负面问题，特质焦虑与信息超载正相关，信息超载下，年龄越大的受众寻求健康信息的信心越低。信息超载也会导致受众继续使用新媒体渠道的动机降低和信心减弱。有趣的是，信息超载水平越高，受众的健康知识水平越低。由此可见，过度饱和的健康信息传播不利于公众健康素养的提升，反而还削弱了健康信息传播的效果。因此，健康信息传播需要注重信息的简练和直接性，同时信息的发布需要应尽可能避免信息冗余，减少对受众发布重复信息。

2. **情绪因素(应激)** 受众个体自身也会主动进行健康信息的信息搜寻，虽然信息搜寻通常是从认知的角度来研究的(例如,用户对查看什么信息和如何处理信息做出理性的、经过计算的选择),但是情绪也是信息搜寻过程的重要组成部分。受众的情绪状态会显著影响对健康信息的获取,消极情绪反应可能直接影响信息寻求行为,例如健康焦虑水平较高的人认为自己处于高风险但表现出低效率,这促使他们寻求信息比健康焦虑水平较低的人更关注与疾病相关的信息。另一方面,受众在接受健康信息时所唤起的情绪同样会影响对健康信息结果的评价,产生更高的健康信息呈现结果预期和更高的搜索结果的感知相关性。最重要的是,受众对健康信息传播渠道的积极态度也会通过产生更高的信任度从而缓解了相关的焦虑情绪。因此,健康信息传播应该考虑到本身内容所带来的潜在情绪诱发效应,避免受众产生恐慌、焦虑等情绪。

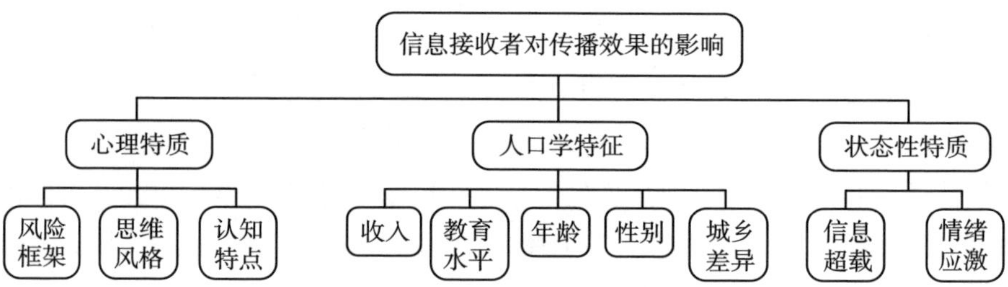

信息接收者个体差异对传播效果的影响

课后习题

1. 简述医药政策类信息与健康科普类信息在传播特征上有什么不同?
2. 简述新媒体传播的机遇有哪些?
3. 请列举出至少两个信息接收者的心理特质因素对医学传播学效果的影响,并简述其是如何影响的。

参考文献

[1] 桂晶晶. 新媒体时代科普传播渠道优选分析 [D]. 华南农业大学, 2018.

[2] BAKER B, YANG I. Social media as social support in pregnancy and the postpartum [J]. Sex Reprod Healthc., 2018, 17 (10): 31-34.
[3] WANG X, SHI J, KONG H. Online health information seeking: a review and Meta-analysis [J]. Health Communication, 2021, 36 (10): 1163-1175.
[4] HALUZA D, NASZAY M, STOCKINGER A, et al. Digital natives versus digital immigrants: influence of online health information seeking on the doctor-patient relationship [J]. Health Commun. 2017, 32 (11): 1342-1349.
[5] KIM S. An exploratory study of inactive health information seekers [J]. International Journal of Medical Informatics, 2015, 84 (2): 119-133.
[6] SMITH D. Health care consumer' s use and trust of health information sources [J]. Journal of Communication in Healthcare, 2011, 4 (3): 200-210.
[7] LEE A Y, AAKER J L, GARDNER W L. The pleasures and pains of distinct self-construals: The role of interdependence in regulatory focus [J]. Journal of Personality and Social Psychology, US: American Psychological Association, 2000, 78 (6): 1122-1134.
[8] KHALEEL I, WIMMER BC, PETERSON GM, et al. Health information overload among health consumers: A scoping review [J]. Patient Education and Counseling, 2020, 103 (1): 15-32.
[9] OWENS KMB, ASMUNDSON GJG, HADJISTAVROPOULOS T, et al. Attentional bias toward illness threat in individuals with elevated health anxiety [J]. Cognitive Therapy and Research, 2004, 28 (1): 57-66.

第八章　生活方式医学和健康行为干预

课程要求

1. 熟悉生活方式医学的定义和治疗过程。
2. 了解影响健康行为的基本心理因素。
3. 理解如何有效对健康行为进行干预。

第六章和第七章系统讲述了医学传播效果的评价体系、指标和方法，以及医学传播效果的影响因素。从中我们了解到，医学传播的效果在很大程度上受到个体心理因素的影响。因此，如何充分基于不同个体的心理和行为特点，提高医学传播效果，促进个体健康生活习惯，将是一个亟待探讨和解决的问题。本章将主要介绍健康心理学和医学交叉的新型学科——生活方式医学，并讲述如何利用生活方式医学理论对个体健康行为进行干预。

一、生活方式医学

（一）基本背景

生活方式医学是由健康心理学和医学逐步整合而成的，旨在通过改变个体的生活方式来促进患者疾病治疗、改善其身心健康。生活方式医学属于医学干预领域，主要由医生按照规范医疗程序作出诊断，并制定相应的治疗方案。该方案的独特之处在于，改变个体的生活方式也被作为治疗疾病或减轻症状的治疗处方。

生活方式医学主要有两大目标：改善生活、治疗疾病。一方面，患者们往往带病生活，生活方式医学的治疗方案与患者的日常行为挂钩，随个体的实际疾病症状进行调整，对于降低疾病给患者生活带来的负面影响具有积极作用；另一方面，生活方式医学的治疗有利于促进许多疾病症状的治愈或好转。例如，配合药物治疗，通过改变个体的特定行为方式，有利于治疗慢性疼痛、2 型糖尿病、高血压以及肥胖相关疾病。

（二）治疗过程

与药物治疗、外科手术等传统医疗手段相似，生活方式医学的治疗过程主要是由医生诊断、制定治疗方案与进行治疗构成，详见下方流程图。

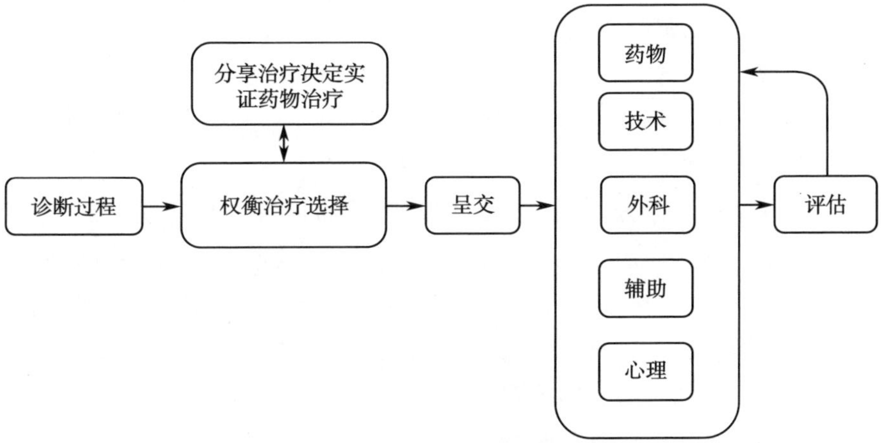

生活方式医学治疗流程图

大多数情况下，治疗方案是由医生负责，但实际治疗过程中可能还会涉及其他专业或学科。例如，常规的医疗治疗由医生完成，药理相关程序由药剂师和与患者直接接触的护理人员（如护士）负责，手术治疗由专科医生进行，还有其他专业人士，包括物理治疗师或营养师、行为专家或教练等。在任何类型治疗的开始与结束时，患者都需要经过医生的评估与复诊。

（三）内涵解析

生活方式治疗侧重于将一种稳定的行为模式转变为另一种稳定的行为模式。例如，应对生活压力以降低血压的新行为模式必须取代旧的、无效的应对生活压力的行为模式；将久坐不动的行为模式转变为更活跃运动的行为模式。坚持低盐饮食意味着患者改变烹饪习惯，在超市购买食盐的时候做出与以往不同的低盐选择，以降低盐摄入量。因此，生活方式医学的治疗不仅需要学习新的行为模式，还需要摒弃旧有的行为模式。

事实上，在大多数生活方式医学治疗的例子中，只有通过重复和长期执行特定行为或行为模式才能达到预期效果。当然，这也有例外情况，比如术前生活方式的改变，主要是为了改善患者在手术前的状况，以促进康复。一旦患者康复，这种生活方式治疗可能会停止。

对以下两点的理解有助于更好地发挥生活方式医学的疗效，达成预期效果。

1. **生理因素与行为方式**　要将生活方式医学作为一种治疗方案，医生必须知道不同行为会如何导致或影响患者的生理和病理。例如，长时间不运动或值夜班如何导致睡眠紊乱或影响睡眠质量。此外，医生还需要清楚怎样的行为模式有助于疾病的恢复。例如，哪些类型和强度水平的运动有助于慢性心力衰竭患者的好转，还有体育锻炼、饮食、睡眠、压力、久坐、吸烟、饮酒等日常行为，以及它们如何影响湿疹、哮喘、过敏等症状。

2. **心理因素与行为方式**　生活方式医学的特点之一就是具有长期性。患者不仅能够学会特定的健康行为方式，而且能够长期坚持下去。我们一般认为，患者会积极地遵循任何有利于疾病治疗的行为方式，但事实上他们并不一定能够继续保持。这是因为：①生活方式改变的预期效果通常不会立即发生，或者可能只达到一部分的预期效果；②生活方式的改变需要患者投入大量的时间和精力；③患者难抵及时行乐的诱惑。

因此，想要激励、引导、保持患者健康的行为方式，仅靠生理学、病理学等专业知识以及技术性和实用性的建议指导（第一点）是远远不够的，还需要借助心理学专业知识，尤其是从健康心理学角度，去为患者的健康行为的转变和长期坚持创造条件。

二、影响健康行为的心理因素

（一）心理 - 行为模型

行为模式是由潜在的心理状态引起与决定的。当这些心理因素发生变化时，个体行为就会发生相应的变化。许多理论模型对心理与行为的关系进行了解析，其中最常用的是目标 - 行为理论。这些心理 - 行为模型都表明，当我们的心理因素发生改变时，行为方式就会发生相应的改变。

下图简要描述了心理-行为模型的主要元素：积极结果预期、消极结果预期以及感知控制。

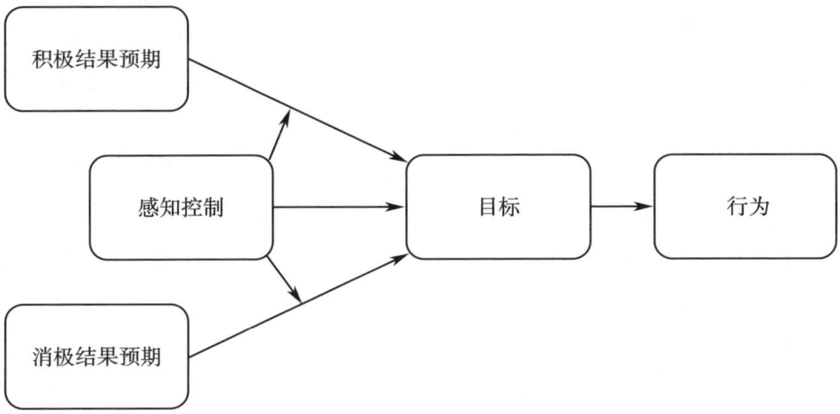

行为的心理决定因素

积极结果预期与消极结果预期，都是基于操作性条件反射和经典条件反射得出的。人们在替代（观察他人）学习和主动（体验自己）学习的基础上，对自身行为的期望或不期望的影响做出预期，对奖惩做出预期。

1. **积极结果预期**　参与健康行为的预期积极结果是行为改变的核心动机。当患者不期望从行为中获得积极结果（奖励）时，他们就不会参与其中。在生活方式医学中，激励人们发生行为改变的主要积极结果预期是缓解疾病症状或生理不适。除了对医学生理上的积极结果预期之外，人们可能还会有情绪上的积极结果预期：降低对痛苦或死亡的恐惧，减少自责或后悔。也可能有心理结果预期，例如自我感觉更强大，或得到更多他人的赞美。也会有更长远的结果预期，例如因为生活方式改变有了更好的健康状况，感觉更有个人魅力，或者有更好的工作表现，花更多的时间陪伴家人。积极结果预期具有较高的独特性和个体性，患有相同疾病的个体对改变生活方式的积极结果预期可能大不相同。但共同点在于，只有当人们的积极结果期望足以激励他们时，他们才愿意投入时间和精力做出行为改变。

2. **消极结果预期**　对健康行为的消极结果预期主要来自他人的经历和自己的经验，消极结果预期会阻碍人们遵循或保持健康行为。例如，体育锻炼时的肌肉酸痛或他人的负面回应；当一些不健康行为（如暴饮暴食、饮酒和吸烟）对你有短期内即刻放松或降低负性情绪的作用，而行为方式医学治疗对这些行为的改变会使这些短期奖赏消失时，人们就会产生消极结果预期；药物的副作用也可能导致消极结果预期。此外，人们需要对生活行为方式转变付出的时间、金钱和精力，这也会造成消极结果预期。对个体而言，这些期望是否会变成现实并不重要，重要的是期望中的消极结果。结果预期越消极，人们建立新的稳定行为模式所需的时间就越长。

3. **感知控制**　感知控制是指人们对自己是否能够成功完成某项任务或行为的能力估计。人们往往依据对感知控制的估计，做出相应的和消极结果的预期。感知控制与行为执行和知识应用有关，其主要来源是个体的控制体验。当人们对自己的行为方式有高度控制期望时（认为自己可以做到），就会做出行为的积极结果预期，并对健康行为有着积极的改变动机。因此，高感知控制有助于使积极结果预期变为可能。并且，当人们遇到可能阻碍他们保持健康行为方式的因素时，高度的感知控制会激励他们抵制诱惑、坚持不懈。相反，当感知控制力较低时，人们可能会预期自己无法获得积极的结果，这会削弱他们对健康行为的积极性。此外，感知控制也与应对健康行为的消极结果预期有关。例如，对手术后进行康复训练的患者来说，高感知控制的患者可能会勇敢应对术后的负面结果（如疼痛等）。因此，感知控制也可以降低消极结果预期的消极影响。总的来说，一个人的感知控制力越低，建立新的稳定行为模式所需的时间就越长。

（二）生活方式医学中的心理因素

人们对疾病的成因、后果、预后、开具的药物以及他们可以控制病理过程的程度都有自己的想法和信念，这种“外行”知识可能来自个人的经验或其他媒介，而这些信念可能会影响结果预期和感知控制的发展。因此，在设计和实践生活方式治疗时，重要的是要考虑到患者生活中与疾病或症状对应的现实条件。

三、健康行为干预

（一）行为方式的干预阶段

基于心理 - 行为模型，生活方式医学的主要目标就是：增加人们对特定行为的积极结果预期，同时减少消极结果预期，并增加对这种行为的感知控制。

这3种心理因素会随着时间的推移而发生变化。阶段变化模型对这样的变化做出了综合概括与解析，包括行为改变的5个阶段：从没有改变的动机到建立长期的改变，如下图所示。

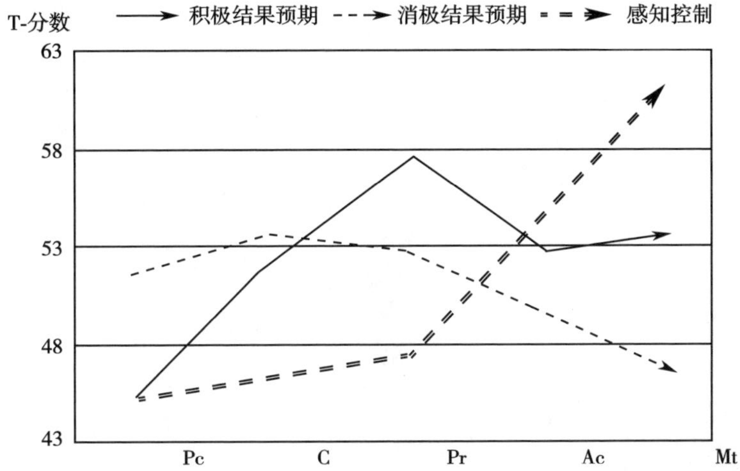

Pc—预思考阶段；C—反思阶段；Pr—准备阶段；Ac—行动阶段；Mt—维持阶段。

从阶段变化图角度看成功行为变化中3个心理决定因素随时间的变化

处于预思考阶段（precontemplation）的个体没有动力做出改变（如在接下来的6个月内），因为他们对改变带来的积极结果预期很小，而消极结果预期却很大。这种心理状态可能已经稳定保持了许多年了。但是当这个阶段的个体遇到关于他们先前行为的负面后果（如酒精可能导致肝脏损伤）时，他们可能会产生积极结果的预期（停止饮酒可能会减轻威胁），然后进入下一阶段。在这个反思阶段（contemplation），他们看到改变带来的积极结果，但他们仍然会有改变带来消极结果的假设，因此他们推迟了行为改变。然而，当他们继续接触到新的负面后果时，可能会感到恐惧或后悔，继而转移到下一个阶段，即准备阶段（preparation）。在这个阶段中，个体有动力在短期内（如在接下来的30天内）做出改变；他们期望通过改变产生积极结果（如从恐惧中解脱出来）。当人们戒掉或减少不健康行为（如少喝酒），建立新的健康行为（如进行日常体育锻炼）时，也就意味着他们进入了行动阶段（action）。在这个阶段，他们通过亲身体验感受到行为改变的结果，进而改变结果预期。若是行为转变带给个体积极的效果（如疾病症状减轻或身体更加健康），个体的感知控制力就会增强，也就进入最后一个阶段，即维持阶段（maintenance）。这个阶段的个体已经建立了一种新的、稳定的、更健康的行为模式，他们有强烈的积极结果预期，较少的消极结果预期，以及较高的控制感知。这是所有生活方式治疗的理想心理状态。

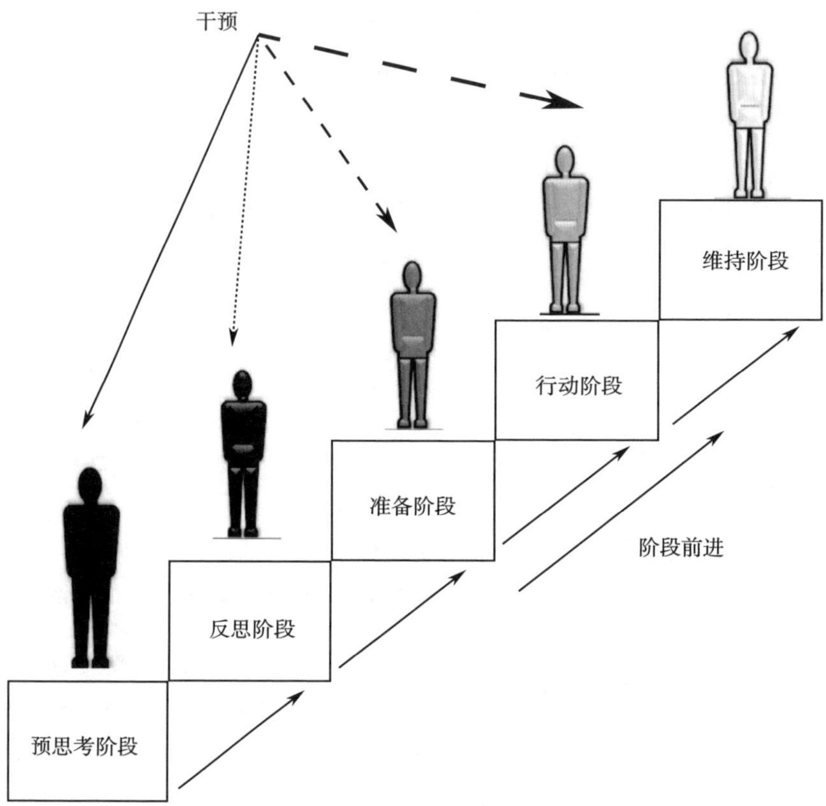

阶段变化模型图例

阶段变化模型的应用过程中还需注意以下几点。

(1)不同阶段的人对特定行为的看法有质的不同，并不是处于更高阶段的人更有动力，每个人的心理决定因素的结构有着本质的不同。

(2)从新的行为模式回归到旧的行为模式是一种常见现象。但这是偏离治疗正轨，我们也可以从停滞、后退或偏离中学习到一些经验。

(3)低动机是一种正常的状态，不是一种病态。个体有自己不改变的理由，可能是由于缺乏知识，或有糟糕的经历。

(4)生活方式治疗需要适应患者所处的变化阶段提供不同的信息支持。阶段变化模型意味着处于不同阶段的人们将可以从不同类型的信息或干预中受益。例如，为了开始行为改变，处于预思考阶段(precontemplation)的吸烟者需要戒烟可能产生的积极结果的信息，而处于反思阶段（contemplation）的吸烟者需要能够降低推迟戒烟理由的信息。准备阶段（preparation）的吸烟者需要能够刺激实际戒烟的信息，而处于行动阶段（action）的戒烟者需要支持感知控制的信息。

（5）阶段变化模型中的短期治疗目标不是行为改变而是阶段过渡，即不断引导患者进入下一阶段。

（二）行为方式的指导实践

1. **治疗指导**　一般来说生活方式医学的治疗内容是比较清晰的，包括体育锻炼、饮食改变、戒烟、减压等。具体治疗指导过程中还需要根据患者特定的行为方式类型和强度进行。例如，减轻慢性疼痛的体育锻炼在很大程度上取决于疼痛的类型和位置、患者的具体身体状况、可能有效的方法以及个体患者的喜好。负责指导的教练需要根据患者的实际情况做出相应的指导方案。

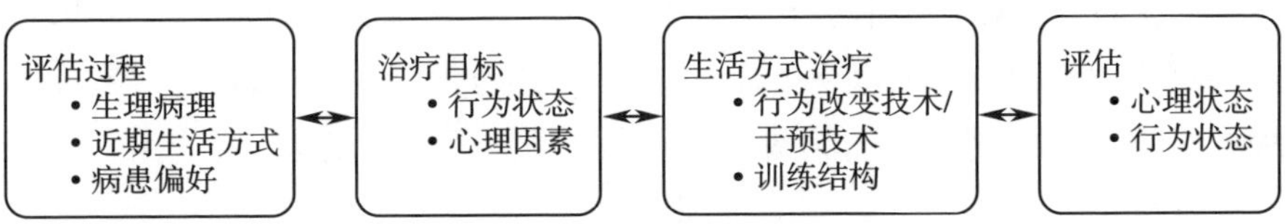

生活方式医学指导过程

指导过程从评估过程开始，需要收集以下信息：①需要生活方式治疗的病理问题或疾病；②当前的生活方式及其心理决定因素；③患者对生活方式改变的偏好。

根据这些信息制定治疗目标，主要包括：①患者的行为状态；②影响这些行为的心理决定因素。

一旦制定了治疗目标，就可以设计和执行生活方式治疗。包括：①行为方式改变技术和干预技术；②训练结构（包括指导的次数和持续时间等）。

同时，监测治疗是否成功至关重要。必须对生理状态和心理状态进行定期的测量与评估。这可以在指导过程中或两次指导之间完成，以便在必要时对治疗进行及时调整。

2. **关键指导技术**　行为改变技术是教练用来改变患者行为的专业技术，主要基于特定的心理学理论原理，例如反馈、社会比较、惩罚和奖励、学习。行为改变技术针对特定的心理过程，通过改变这些心理过程来促进行为方式的转变。同时，患者的生活环境也被作为行为改变技术的改变对象之一。例如，一些物理环境设计、技术反馈系统或提醒服务等也可以用作生活方式治疗的内容。

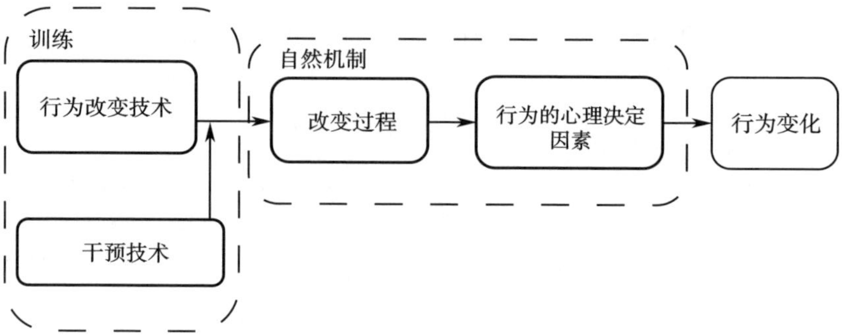

生活方式指导激活改变过程

3. **干预技术**　干预技术是教练用来优化行为改变效果的专业技术。患者对干预技术的关注度、理解程度、有效性的期望，以及教练与患者的关系，都对干预技术发挥功效有着重要作用。干预技术的具体内容是根据患者量身定制的，本身不会导致行为改变技术的效果变化，但如果干预技术应用不当，行为改变技术的效果可能就会下降。因此，行为改变技术和干预技术总是需要一起应用。

重要的行为改变技术

详述一般后果	监测结果
详述个人后果	从过去的经验中学习
建立强制性的社会规范	提供执行方面的反馈
建立描述性的社会规范	提供认知 / 情绪方面的反馈
设定结果目标	提供指导
设定行为目标	行为示范
制订行动计划	学习使用提示语
识别障碍	操控环境
设计有等级的任务	制订行为合同
评估行为目标	刺激练习
评估结果目标	组织跟进
解释成就	进行社会比较
惩罚	组织社会支持

续表

详述一般后果	监测结果
奖励	识别榜样
归纳效果	刺激自我交谈
监测认知 / 情绪	诱导精神刺激
监控行为	监测结果
对执行情况提供反馈	从过去的经验中学习

4. **生活方式**　医学是一个高度个性化、协议式进行的指导。由教练与患者共同协议确定需要应用哪些行为改变技术和干预技术，以及在行为变化的哪个阶段应用（详见阶段变化模型）。由于所有患者的条件和情况都是特殊的，因此根据患者自身调整指导方案总是必要的。协议式指导的好处就在于，在应用之前可以不断制订与测试治疗方案。

重要的干预技术

注意力	理解	联系	专门制订	预期	坚持
意外	可读性	动机展示	偏好询问	干预效果	计量压力
重复	音质	兴趣展示	需求建立	行为改变技术效果	激发改变的话题
移动	语言	真实性	决策共享	责任	自我确定
尺寸	解释	尊重 / 接受	效果评估	期限	反思
颜色	证明	资源管理	时间安排	强度	滚动式
改变		小组协调	背景理解	原理	
对比		联盟	行为改变技术匹配		
自我相关性					

5. **指导级别**　在实践中，根据指导强度（与教练接触的频率、持续时间，以及行为改变的深度）可以将生活方式指导分为 4 个级别。

级别一：简短建议　第一级或最低级是非常简短的建议，持续时间从 30 秒到几分钟不等。主要是医疗护士或医生向患者提供具体而简短的建议。这种简单的做法仅适用于少数患者，而对于大多数患者来说，这并不是有效的生活方式医学治疗。

案例：一位髋部疼痛的骨科患者（72 岁）咨询了医生。经过体格检查和病史评估，得出的结论是，患者髋部疼痛最有可能是因为在 3 周前与孙子踢足球时肌肉超负荷。在体检期间，医生注意到患者的肌肉未处于最佳状态。医生建议患者进行更多的体育锻炼，告诉患者为什么需要平衡运动来治疗目前的疼痛和预防未来的问题，并给出一些指导，列出一份专门为老年人写的保持健康的说明。患者很感兴趣，表示有动力执行。

级别二：短期指导　第二级指导的强度稍高一些，例如指导持续30分钟或1小时，进行1~2次，并且可以由受过培训的执业护士提供相应指导。这种指导提供了更多时间来实践行为改变技术、定制指导方案、激励患者开始改变生活方式。这种指导比非常简短的建议更有效，但其有效性仍然有限，因为没有或很少有后续指导，而且治疗过程只能得到数量有限的支持和指导。

案例：一名高血压和低密度脂蛋白升高的患者（54岁）接受药物治疗。为了检查他的饮食是否健康，接受过饮食指导培训的主管护士与他进行面谈。在前30分钟的会面中，护士解释了为什么除了吃药还需要良好的饮食，并检查患者的动机是什么。他们同意患者将在2周后返回，并将使用结构化清单评估当前的饮食。在持续45分钟的第2次会议中，护士设定了两个目标：患者知道如何遵循推荐的新饮食方式，以及有动力坚持健康饮食。他们就6周后的最后1次会议达成一致。在45分钟的第3次会议中，护士告诉患者，她的低密度脂蛋白水平有所改善。患者在很大程度上成功地遵循了护士给出的饮食建议，并且对保持健康饮食持积极态度。

级别三：长期指导。第三级是更长期的生活方式指导，包括3~10次会面交流。教练主要是健康专业人士，例如医生、护士、物理治疗师或营养师，并接受生活方式指导方面的专业培训。例如，患者接受一年理论与实践相结合的课程指导。指导者提供有关改变行为决定因素的进展的反馈，设计和调整更贴合实际情况的学习计划使患者有更好的体验。例如，使用高级行为改变技术中的进度反馈、预防复发和分级学习。该强度水平的指导对更多的患者有效，具有较高的治疗潜力。

案例：患者是一位43岁的女性，患有2型糖尿病和肥胖症，体重指数33kg/m^2。医生将减肥作为一种生活方式治疗，并将患者转介给受过专业培训的营养师。营养师不仅可以开设节食处方，还可以在患者减肥过程中进行专业指导。规范的生活方式治疗包括1个月内与教练和其他4名想要减肥的患者的4次小组会议，以及间隔1个月的5次额外的个人辅导会议。小组辅导会议提供社会支持和社会比较，以启动减肥过程。个别会议侧重于激励患者自己的动机或预防复发，旨在支持长期变化。在所有课程中，患者都会接受体重、脂肪百分比和血糖水平的物理测量，用于指导行为方向。

课后习题

1. 请阐述生活方式医学的定义。
2. 请阐述心理 - 行为模型定义并结合生活中的一个案例进行分析。
3. 请阐述行为干预的指导级别分为几类？每一个级别各有什么不同？

参考文献

[1] ABRAHAM C, MICHIE S. A taxonomy of behavior change techniques used in interventions [J]. Health psychology: official journal of the Division of Health Psychology, American Psychological Association, 2008, 27 (3): 379-387.

[2] AJZEN I. The theory of planned behavior, organizational behavior and human decision processes [J]. Journal of Leisure Research, 1991, 50 (2), 179-211.

[3] BANDURA A. Social foundations of thought and action: A social cognitive theory [J]. Journal of Applied Psychology, 1986, 12 (1): 169.

[4] DIJKSTRA A, CONIJN B, VRIES H D. A match-mismatch test of a stage model of behaviour change in tobacco smoking [J]. Addiction, 2010, 101 (7): 1035-1043.

[5] PROCHASKA J O, DICLEMENTE C C, NORCROSS J C. In search of how people change. Applications to addictive behaviors.[J]. American Psychologist, 1992, 47 (9): 1102-1114.

[6] KUSHNER R F, SORENSEN K W. Lifestyle medicine: the future of chronic disease management [J]. Current Opinion in Endocrinology Diabetes & Obesity, 2013, 20 (5). 115.

[7] 中华医学会糖尿病学分会 . 中国 2 型糖尿病防治指南 (2017 年版)[J]. 中国实用内科杂志 , 2018, 38 (4): 292-344.

[8] 袁修琼 , 崔明华 , 苏华荣 . 健康教育及心理护理干预对肥胖型多囊卵巢综合征患者生活方式的影响研究 [J]. 实用临床医药杂志 , 2015, 19 (2): 72-76.

[9] 吴兆苏 , 霍勇 , 王文 , 等 . 中国高血压患者教育指南 [J]. 中华高血压杂志 , 2013, 21 (12): 1123-1149.

[10] 梁成强 , 潘妹霞 , 王鸿 . 生活方式干预对妊娠糖尿病病人认知、血糖控制以及妊娠结局的影响 [J]. 肠外与肠内营养 , 2011, 18 (2): 91-93.

[11] 陈爱萍 , 褚德发 , 王小男 , 等 . 住院高血压患者遵医用药和生活方式的调查 [J]. 中华护理杂志 , 2004, 51 (9): 23-25.

[12] 陈爱萍 , 张维娜 , 蔡虻 , 等 . 高血压病人的治疗依从性与健康教育 [J]. 护理研究 , 2002, 16 (3): 145-146.

第九章　医院医学传播实践

课程要求

1. 了解医院医学传播的重要性及目前发展情况。
2. 了解医院医学传播的主要途径。
3. 熟悉医院医学传播的两种基本模式和案例分析。
4. 了解医院医学传播现有不足及未来发展规划。

一、医院医学传播的必要性及现状

(一) 患者层面

1. **必要性**　如何能够从正规渠道获悉相关知识，如何能够从正确途径主张权益，这是医院医学传播可以解决的问题。例如，患者的知情权益包括病情了解权、治疗措施的知悉权和医疗费用知晓权。目前，仍有不少患者对以上内容是不清晰、不明确的，导致在就医过程中，往往呈现只主张部分权利或超范围主张权利等现象，甚至成为医患矛盾的隐性因素。

(1) 认知疾病：机体从健康→疾病→死亡 / 康复是一个连贯的过程。绝大多数的个体，都会面临疾病的困扰，只有正确认识疾病，才能客观地对待它。但由于人们缺乏对疾病发生、发展规律的医学知识，导致面对疾病尤其是严重疾病时的心理应激反应，滋生了否定、愤怒、恐惧、悲伤等各种情绪，从而偏离了对疾病正确的认知方向，出现了要么弱化、要么夸大的反应。可见，提供有效途径来帮助患者对疾病正确认知是十分重要的。

(2) 树立信心：老百姓常会说，一些得了癌症的患者，往往是“被吓死的”。这话主要反映了，对疾病缺乏正确认知所滋生的恐惧感往往使患者失去治疗疾病的信心，甚至没有了生活的勇气，出现了古人常说的哀莫大于心死的状态，导致预后不佳。那么，通过什么可以获得信心呢？除了家人关爱，还应该有一条渠道可以及时获得鼓舞斗志的信息，例如治疗的最新进展和突破、病友好转和康复的消息等。

(3) 配合治疗：患者从尽快解除自身病痛的角度而言，一定是愿意积极配合医务人员完成各项诊疗措施的。但是，由于无任何医学背景知识，往往出现不知如何配合，甚至还“帮了倒忙”。例如，患者出于想有更好体力应对手术，在术前擅自进食，导致延期手术。究其原因，虽然有医生向他强调了术前禁食、禁饮，但他并不真正了解原因，所以没有当回事，并且还想当然地吃了东西。可见，这是医学传播学急需进入的传播领域。

(4) 预防康复：对疾病的预防和康复，是“健康中国”理念重点强调的部分。如何能够防患于未然，如何能够亡羊补牢对机体进行康复治疗，这是当今中国老百姓迫切希望获得的传播信息，也正是医学传播学重要的工作内容。

2. 现状

(1) 受教育程度影响参与度与接受度：我们的患者来自五湖四海，教育层次、认知能力、身份背景均有不同。因此，他们医学传播学所提供的大量的专业信息，能够接受、理解、参与、配合的程度参差不齐。

(2) 患者需求与医生精力相矛盾：我国由于人口基数大，仍处于医务人员相对不足的阶段，尤其是优质医疗资源仍持续吃紧。以三甲医院医生门诊出诊为例，常常一位医师半天接诊患者量是 50~60 人次，平均接诊时间仅为 4~5 分钟，这远远无法满足患者知情权益、认知疾病、预防康复等方面的需求。

(二) 家属层面

1. 必要性

(1) 理解医疗流程：能够在陌生医院中快速熟悉相关医疗流程，陪伴家人快速完成诊疗，是患者家属最希望获得的就诊体验。但是，从何处获得流程？如何快速流畅地完成？可以从哪些人员得到有效帮助？甚至是乘坐哪部电梯才能到达病房？这些问题正是可以通过医学传播学帮助解决的。

(2) 消除疑虑：为什么我们先到，但他却最先进诊室看病，是关系户吗？是不是没给红包，医生就不给认真做手术了？为什么主管医生一下午不在，偷懒了吗？这是不少家属在陪诊过程中，会产生的疑虑。如果医学传播的触角能够深入这些细节中，发挥辅助解释作用，可能家属就有机会提前知道：门诊看病是根据预约排序的，医生什么时候都会认真手术并且真的拒收红包，医生在夜班后是需要正常补休的。一切隐藏在心中的疑虑就不会出现，对就医的负面情绪就会降至低点，医患和谐自然呈现。

⑶缓解焦虑：家人罹患重病，往往最焦虑的是家属，这是重症医学科医务人员最深的感受。因为，家属不能守护在亲人身边，那患者饿了、疼了、冷了、找家人了，该怎么办？有人管吗？病情继续加重怎么办？……针对以上他们最关心的问题，用医学传播的途径展示于守护在 ICU 病房外的家属面前，一定会减轻他们焦虑的程度。

⑷指导科学护理、配合协助医疗工作："医生，我是家属！需要帮忙，或配合您做什么吗？"临床中不少家属会提出这样的问题。往往医务人员没有更多的时间向众多家属进行一一指导和交流工作，如果有科普的指引文章或视频，就会让家属顺利找到参与护理和协助医疗的方法和途径。

2. **现状**　同样，受教育水平、救治场景、病情缓急、与患者关系、经济及照看负担等影响传播难度，患者亲属之间也会存在立场不一、决策困难等情况，导致医生重复解释，影响诊疗的效率。

（三）医生层面

1. **必要性**

⑴与患方快速建立良好关系：医院医学传播有助于医生树立威信、获得理解配合、提高治疗效果、改善工作体验、提升个人能力、获得职业声誉及收益。通过各种途径的医学传播，随着患方了解更多医学科普知识，医患双方逐步构建有效沟通的关系，从而让医生的谈话变得更容易"明白"了，让医生的善意变得更容易"感受"了，让医生的效率变得更容易"提高"了。有了良好医患沟通基础，诊疗过程会变得更为顺畅，工作体验一定会变得简单而愉悦，医生医疗能力得到提升，最终在从医道路上、在个人成长发展的道路上有所受益。

⑵提升患者、家属在诊疗过程中的配合度：患者和家属的配合度往往会对病程的长短、对病情的紧张度有着一定影响。在实际临床过程中，如果疾病经过"短、平、快"的治疗措施得到控制或解决，往往医患双方的互动是愉悦的，双方的配合也是良好的。但是随着病程的延长、病情的起伏，患方的心理

承受能力的阈值逐步下降，焦躁、疑虑等一系列的情绪堆积，导致与医方的配合度逐渐降低，甚至还出现反向的不配合情况发生。如何向患方准确传达医学的不确定性、疾病的复杂性，这是需要医学传播的助力的。

2. **现状**　目前，医务人员是承担医学传播工作的重要群体，他们可以结合自己的专业知识、临床实践发现的真实问题，来构建为患方所需的科普类作品。但需要承认的是每位医务人员参与传播的积极性，创作的作品质量、数量、受众面以及成效，与以下因素密切相关：学历认知、经验技能、专业方向、科室氛围、工作强度、薪资待遇、个人习性等。

（四）医院层面

1. **必要性**

⑴提高患者满意度、就诊量、经济社会效益：当今中国，对医院的评价体系已经从单一的经济效益、医疗水平维度，扩展至以患者为中心的多维评价体系。在此导向下，医院管理者势必要思考，如应如何通过寻求更多、更有效的方法和手段，来不断提高患者的满意度、增加就诊率、提升患方信任度等。医学传播学是常常会被考量使用的方式。

⑵减少纠纷、不良或恶性事件、减少赔偿损失：有效地传递和接收信息，是沟通的重要基础。医疗活动中出现的医患纠纷、伤医、杀医、司法案件等，溯其根源常常是沟通问题。如何减少以上问题在医疗场所的发生频率，可通过医学传播的方式、方法来深化解决。

2. **现状**　基于医院级别、地域经济、管理层重视度的不同，每家医疗机构的资金投入、政策支持、奖罚机制、人才配置、培训规范等均有差异。因此，医院对如何对待、如何运用医学传播手段，来实现医院的机制建设，是必须要认真思考的问题。

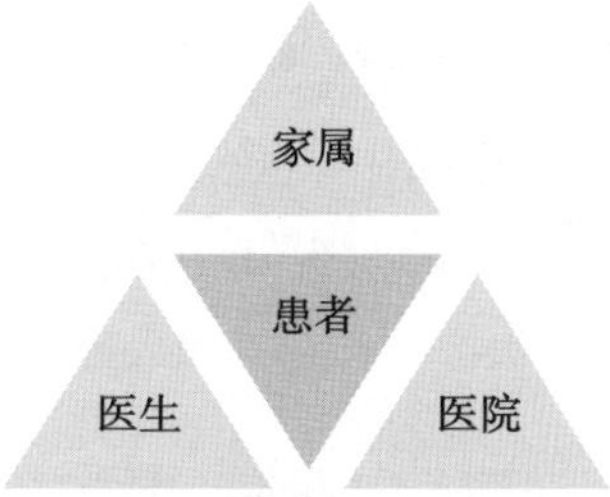

从4个层面看医学传播的必要性

二、医院医学传播的基本方式

随着民众对健康的日益重视，对医疗就诊的要求越来越高，对医学知识的需求越来越大，医疗水平作为医院的核心竞争力，是树立医院品牌形象的最重要成分。而医学传播是表现医疗水平的重要途径之一，是医院宣传的重要组成部分，亦是民众最喜闻乐见的医院宣传形式。随着新媒体的发展，传统的传播模式已无法满足实际工作需要，新媒体时代的传播具有受众广、信息交互快、互动性强等特点，其传播载体也更加广泛。面对新的社会环境，医学传播工作要与时俱进，善于学习与思考，顺应发展的需要，思路创新，手段新颖，特色鲜明，破除固有思维，顺应全媒体融合大势，才能达到好的传播效果。

目前传统媒体中的报纸、杂志等实体宣传纸媒，已经更多地被电子化媒体所代替，但载体虽然改变，内核仍有传承。各大官方媒体都有网络发布的渠道，但亦有很多线上传播无法取代的形式。医院的医学传播形式，在现代新的环境下，可分为以下几种方式。

（一）传统媒体介入的传播方式

1. **新闻报道**　从新闻的定义可知，它是新近发生的事实的报道，通常由传统媒体宣发，有较强的权威性，亦是最为官方的传播方式。在医学传播领域，能成为新闻报道选题的，主要是一些医学事件，比如公共卫生事件、医学科技新发展、医院及医生的事迹报道等。因为医学的专业性，很多事情的发展民众只知其然而不知其所以然，所以，在事件的报道外，通常需要相关的医学知识科普，与报道一起发出，增强新闻的可读性与专业性。

2. **医护人员访谈**　医护人员访谈是传统媒体上最常见的医学传播手段，一般以记者、主持人等传统媒体从业人员为主导，围绕着已经确定的选题向医护人员进行访谈。一般在访谈前有全面的准备，过程中通常有交流与分享，最终将原始状态的信息搜集、整理、分析、综合，得到客观的文字报道或视频报道，并经媒体渠道进行传播。这通常在一些社会热点事件、新闻得到广泛传播之后，邀请业内知名相关专业的专家进行医学解读与科普，并广泛传播，进而使民众学习医学知识，亦是医院、医生良好的宣传机会。

（二）以医院、医生为主体的传播方式

目前，以医院为主体的医学传播是帮助国家实现“健康中国 2030”目标不可或缺的重要组成部分，越来越多的医院在维持传统媒体方式宣传的同时，积极转型互联网平台、手机媒体平台，多口推广。在信息如此多元化、人人都可以成为“独立媒体”的今天，运用好这些手段显得尤为必要。

1. **网站宣传**　医院的官方网站是医院在网络上的门户，一般会由医院宣传团队运营，目前大多数医院网站停留在从医院角度出发来介绍概况、科室、

专家、动态等基本信息，亦有部分科普信息，但多数为静态页面，缺乏从患者角度考虑的交互式服务功能，栏目设置不充分且内容更新缓慢，在移动互联时代发展下跟不上公众变化多端的需求，相对于自媒体，它的传播是被动的，需要用户自行访问。但不能因此忽略门户网站的建设，门户网站是一个固定而用户庞大的传播阵地，它是患者了解医院的一个重要窗口，自行建设的服务器与网站程序决定了它比自媒体定制性强、容量大的特点，做好运维管理，可发挥好门户网站作为医学传播阵地的作用。

2. **公众号等新媒体**　网站通常是互联网海洋中的一个孤岛，要保障医院的医学传播与推广，目前最有效方式就是可以利用现今流行的微博、微信等新媒体通道。因为新媒体较之传统媒体具有明显的优势，它们传播速度快、信息量大、表现形式多元、互动交流迅速等，一部智能手机有网络信号便能随时访问。并且，在公共卫生领域，随着社会的进步和公众健康保健意识的提高，人们通过移动端随时随地获取专业权威的健康知识、健康信息和诊疗信息等的愿望已成为大势所趋，而新媒体正是开启了这种应用，能有效协助医院进行医学传播。

顺应互联网潮流，通过官方认证的微信公众号、微博等平台加强与用户和网民的互动，开展医学科普、微访谈、在线问答、就医指导、健康热点解读等医学传播活动，一方面可营造良好的公益氛围，扩大医院知名度，形成专业的形象，一方面可打造医生队伍中的明星团队、“网红”医生，以通俗易懂、时代感浓重的网络用语宣传普及医学常识，让医院的专家（明星医生）走下“神坛”（手术台），以纪录片、短视频、微视频等内容传播医学知识，以微信、抖音等为传播工具，以工作和生活两个维度塑造个性化的医生形象，以接地气的方式传播医学知识，以提升医院医学传播效率。

（三）以各专科宣教为主体的传播方式

除了进行面向大众的医学传播，医院里的日常工作中，医学传播的重点主要是面向患者。普遍来说，越大型的医院的学科分得越细，每个专科的疾病与患者都有各自的特点，各专科的宣教亦会根据本学科的疾病谱的特点进行有目的性针对性的安排。医学传播是医疗工作开展中的重要组成部分。疾病造成的痛苦和不便会加重患者的焦虑和恐惧心理，尤其是在不了解疾病病理等相关知识的情况下，担心治疗效果、忧虑病情的恶化等因素使得患者产生心理压力。而有效的医学传播是有效舒缓患者焦虑心情和减轻恐惧心理负担的有效措施，只有患者有信心并且乐观、配合地对待疾病，病情才能在尽量短的时间内得到控制，早日康复。因此，在医疗工作中，不但要从医疗角度去治疗患者，亦要适时对患者进行医学科普，让其了解疾病的病因、病理、病程及转归，教给患者相关疾病知识及家庭护理方法，使其正确对待疾病，减轻心理负担，自觉改变不良生活方式，积极配合治疗。

医院常用的医学传播手段有以下几种。

1. **宣教手册**　随着现代社会的计算机普及及印刷的便利，图文宣教手册制作与使用非常方便，不受时间空间限制，可固定投放让患者自由取用，亦可向目标人群派送以达到宣传目的，日常工作中可用于宣教时的展示、讲解，患者亦可以反复查看，是最常用的医学传播手段。

2. **健康讲座**　健康讲座是各专科针对本专科常见疾病，一般以患者常见的疑问及某种疾病知识选定主题，以讲座的方式进行医学传播，一般由专病医生、专病护士定期举办。比如肾脏病专病知识讲座，可以是针对肾脏病的临床表现、用药的原因及副作用、饮食原则等内容进行讲解。讲座可同时进行医患互动，针对患者提出的疑问做出专业性的回答，解除患者对疾病的陌生与恐惧感，增强医患之间的信任度。

3. **病友会**　病友会是医院设立的患者与医生、患者与患者之间的交流平台，由于患者普遍存在着“病耻感”，有自卑心理，与同样遭遇的人交流更容易引起共情，得到理解和支持，所以病友之间的交流能有效地解除心理障碍，老患者的一些经验教训也可给新患者有效的指引。故一些慢性病相关的专科会每年定期举行多次的病友会，增加病友间互相接触的机会，提供互助的平台，了解患者的需求，通过互动、互助的形式进行医学传播，医患协同解决患者最担心、最关心的问题。

（四）多维度传播结合，打造医疗团队与医生品牌

多维度传播结合，线上线下结合，创新宣传模式，是全媒体时代实现医院、医生品牌影响力提升的重要途径。

以互联网为核心的现代技术快速发展并不断成熟，全媒体时代为医院、医生的品牌宣传提供了前所未有的良好契机。医院要想在全媒体社会提升品牌影响力，需要积极创新传播模式。

目前，新媒体对传统媒体造成了巨大冲击，并且有着更为巨大的社会影响力。因此，医院应当充分理解新媒体在信息传播方面的优势，并积极利用其

优势增强医学传播效果，从而扩大品牌影响力。另一方面，新媒体的社会影响力主要体现在信息传播速度、范围及方式等方面，其在权威性与公信力方面依旧难以和传统媒体媲美。而医院在近年来深受医患关系矛盾的影响，必须要依靠具有权威和公信力的宣传，改善社会民众的认知，树立良好的品牌并发挥社会价值，进而有效缓解医患矛盾。新时代下传统媒体与新媒体、线上与线下的传播，都是不可忽视的宣传渠道，有着良好的互补优势。医院应当根据自身运行发展的实际情况，积极探索传统传播模式与新媒体相结合的高效宣传路径。

三、医院医学传播的创新模式

（一）医务社工模式

1. **概述**　1921 年，北京协和医院社会服务部的成立标志着我国医务社工的开始。随后医务社会工作发展经历了医院探索、国家推动、行业实践、创新驱动等阶段，形成了医务社会工作和医院志愿者工作之间密不可分的局面。2000 年上海东方医院率先实践“志愿服务在医院”的理念，探索“医务社会工作者 + 医院志愿者”的服务形式。2009 年 3 月，中共中央、国务院《关于深化医药卫生体制改革的意见》首次明确提出“开展医务社会工作，完善医疗纠纷处理机制，增进医患沟通”，之后国家也多次颁布政策，从国家层面推动医务社会工作和志愿服务的发展。

2. **医务社工的含义和特点**　医务社会工作自诞生之后，其蕴涵的意义就始终在不断地发展与丰富。在经济社会不断发展、人们健康需求多样化等方面因素的影响下，人们对于医务社会工作的认识也在不断深化。医务社会工作目前已经成为集医学、心理学、社会学、伦理学于一体的新型交叉性学科。在卫生服务领域，医务社工的界定有广义和狭义划分。广义的医务社工泛指在健康服务相关领域中就业的社会工作者，医务社工对个人防病治病、改善健康状况，对建立健全现代健康照顾体系，对提高患者生活质量和发展社会福利，对促进宏观经济发展、提高综合国力和构建和谐社会等方面的贡献很多，医务社会工作与学校社会工作、司法社会工作等共同致力于社会福利发展，医务社会工作者社会角色举足轻重。狭义的医务社工主要指在卫生系统中工作的社会工作者，微观层面上，医务社会工作者主要扮演服务提供者、个案管理者、辅导者和服务倡导者角色。医院社会服务部和医务社会工作者是现代健康照顾体系的重要组成部分，他们与医生、护士、其他医疗技术人员携手合作，组成专业团队，扮演专业合作伙伴角色。

而随着经济社会以及医学实践的发展，人们对于健康的认识也在不断深化，医学模式也由传统的生物模式转向生物 - 心理 - 社会模式。所以，医学实践开始由治疗转向预防，由降低急性病的死亡率转向降低慢性病的发病率，由控制外部的风险（外伤、传染）转向矫治内部的风险（不良的生活行为方式）。在这一转变之下，医务社会工作的内涵得到了全面的发展。现代意义的医务社会工作在传统医务社会工作内涵的基础上，内容拓展至对疾病的预防、对健康的促进与保护等方面。

3. **医务社工的服务体系运行**　现阶段，随着医务社工和医院志愿者逐步融入医院系统中，与医疗服务更为有机地结合，在以医务社会工作为主导的基础上融合了医院志愿服务，呈现“医务社会工作者 + 医院志愿者”的服务形式。虽然实践中一般将志愿者服务归并于医务社工的职能范围之中，但两项工作有交集，也有区别。医务社会工作涉及服务、教育、研究和行政等领域，主要提供院内服务为主。

医院社会工作部对医院志愿者服务进行管理、指导，通过加强组织领导，保障志愿服务，工作资源整合和切实推进，一般成立以医院党政一把手为组长，其他相关职能部门负责人为成员的“志愿服务工作领导小组”，加强对全院志愿服务工作的统筹规划和院内外志愿服务资源的有效整合。以导出型志愿服务为基础，拓展志愿服务双向互动辐射半径，以导入型志愿服务来宣传医疗志愿服务的文化和内容，引导院外志愿服务个人和群体加入医疗志愿服务的团队，促进院内社会志愿服务增量，形成资源共享的“双向互利”局面。

社工支持志愿者根据医院及患者需求开展服务，同时更要倡导院内志愿服务的独立性、创造性。医院志愿服务管理机构的设立以社会需求为契合点，为院内外爱心人士搭建服务平台，让院内志愿者有途径、有基地借助医疗专业所长服务社会，服务人民；同时也为社会志愿者利用医院平台关怀病患弱势群体提供稳定、安全的服务场所，逐步建立并完善“导出型”和“导入型”相结合的志愿服务管理，探索志愿服务活动新形式，围绕“志愿育人”的核心思想，通过“医教 + 志愿服务”协同实践育人模式，利用科研手段验证，逐步形成较为常态化、专业化志愿服务长效机制，这种结合医院“利他”文化的创新医院志愿服务可扩展服务群体,实现成果推广。

(二) 叙事医学模式

1. **基本概述与定义** 2001年1月,美国哥伦比亚大学长老会医院的丽塔·卡伦(Rita Charon)教授在《内科学年报》上发表《叙事医学:形式、功能和伦理》一文,首次提出叙事医学(narrative medicine)的概念,介绍了她个人运用叙事写作方式,记录如何理解患者,并与患者一同找寻最佳治疗方案的经历。同年10月,卡伦教授在《美国医学会杂志》上发表《叙事医学:共情、反思、职业和信任的模型》一文,对叙事医学做出定义:叙事医学的主要优势在于构建临床医生的叙事能力,这种能力有助于临床医生在医疗活动中提升对患者的共情能力、亲和力(信任关系),以及职业精神和自我行为的反思,其核心是共情与反思。2006年,卡伦教授在牛津出版社出版的《叙事医学:尊重疾病的故事》一书中,再次述及叙事医学的定义为由叙事能力所实践的医学,叙事能力是认识、吸收、解释并被疾病的故事所感动的能力。由此开创了一种以患者为中心的医学模式,其目的不是为了让医生成为作家,而是成为更好的医生——在聆听患者声音的同时,让医学作为一种实践理性干预患者的治疗或康复,可以从另一种视角为生物医学伦理学提供实践基础。

当代医学已经转变为"生理-心理-社会"这一体现人性化理念的医学模式,意味着单纯关注患者生理的医学模式已经结束,上升到"心理-精神"的更高境界。现代医学技术的发展,也给人类疾病、痛苦以及医患关系等带来了诸多困境,因此提倡以叙事方式直接关注医学中人性的叙事医学便应运而生。国外叙事医学开始蓬勃发展,受到全球著名医学刊物及各大英美医学院校对叙事医学的重视,并逐步得到国内医学界的关注和探索,北京、上海等地都有较为深入和丰富的实践。

国内对叙事医学的划分有狭义和广义之分,狭义叙事医学是由医务人员带有叙事能力而主动实施的实践医学的一种方式,而广义叙事医学是其他学科、甚至是公众按照各自的方法对医患相遇过程、患病体验等的研究和描述。在叙事医学这种新的医疗模式中,具有叙事能力的临床医生通过"吸收、解释、回应患者的故事和困境",来为其提供充满尊重、共情和生机的医疗照护。狭义叙事医学重实践,广义叙事医学重研究,包含文学属性的叙事医学,意在寻求技术与人文的互洽,极大地丰富了医学人文的内涵。

2. **国内叙事医学与医学传播** 生活离不开人际沟通。人类很早就意识到，要准确表达自己和理解别人都十分困难。当患者向医生诉说自己的患病的痛苦和感受时，不一定都能够得到医生理解，唤起共鸣；同样，当医生表达诊疗意见提出合作要求时，也不一定能完全被患者领会、赢得患者的配合。医患沟通是一门值得研究的学问。2014 年，上海市第六人民医院和东方卫视推出的纪实节目《急诊室故事》开创了叙事医学科普新模式，受众超 5 亿人次。以《急诊室故事》为窗口，社会公众了解到抢救室大门背后的故事，增进了医患沟通、共情、共鸣，有效缓解了日益紧张的医患关系。

叙事医学将叙事的主体转化为医务人员，将“找证据”与“讲故事”结合起来，通过以传播主体的关系，进行人际传播、自我传播、组织传播与大众传播，以协调技术与人文、医生决策与患者感受的关系。

叙事医学的目的是训练医学生的批判性思维，医学生叙事能力培养是人文精神与医学教育完美结合的产物。它以文学的魅力影响医学生，医学生用人文的知识感染患者，从而成为循证医学的重要补充部分。培养医学生叙事能力，有利于塑造医学生道德感、责任感，促进人性化理念的渗透，提高医学生情商。叙事医学的意义是开创性的，它主在培育敬畏、同情、悲悯、慈爱的职业人格，叙事医学的发展可以带来临床治疗模式的升华，调和医患关系，拓展医学传播途径。

案例 1：义工“幸福银行”（广东医科大学附属医院）

2011 年 12 月 5 日，义工“幸福银行”在广东医科大学附属医院成立，成为国内首批医务社会工作志愿服务组织，依托高等医学院校背景及医学专业优势，创新社会工作模式，弥补短期化的志愿服务和医院服务体系的不足，探索一条医学生实践育人模式，以公益弘扬为导向，以助力健康脱贫攻坚为目的，打造了一支以党员义工为引领，医务社工为指导，医学生义工、医护义工及社会义工三者协同的健康促进与医学科普传播队伍。

截至 2021 年 8 月，在医务社工的带领下，义工“幸福银行”累计注册义工 7 320 人，服务群众逾 38 万余人次，服务总时长超 20 万小时。义工“幸福银行”充分发挥平台和资源优势，服务于医院临床专科建设，建立义工服务站（院内、院外）37 个、义工服务队 20 支，设有大病救助服务平台、医普惠明工作室、百岁老人爱心服务基地，院内面向患者及患者家属开展导医导诊、护送陪检、探访陪伴、健康宣教、义教义诊、链接社会资源等常规服务；院外深入社区、乡镇、校企及机关面向社会大众开展医学传播、专项义诊、临终关怀等健康服务，打造本土特色服务品牌。

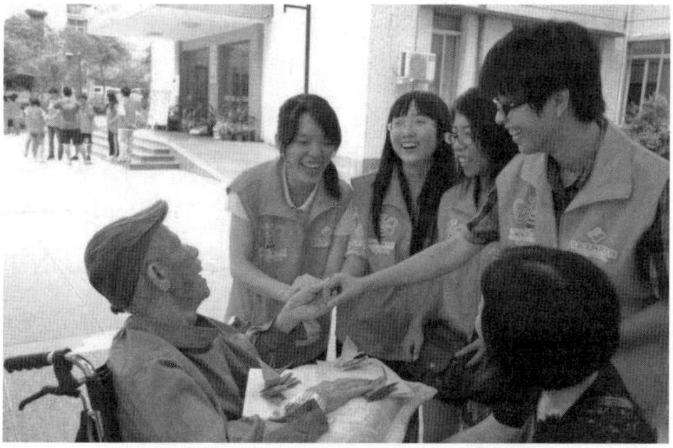

义工“幸福银行”正在进行志愿活动

义工“幸福银行”的医务社工在医院医学传播中有哪些特点?

义工“幸福银行”将志愿服务融入国家健康战略、融入健康城市建设、融入医学人才培养,不断拓展志愿服务体系,持续在志愿服务、医学科普、健康促进、实践育人、大病救助等工作中提质增效,成为全国医疗志愿服务的示范。2017 年 9 月,“幸福银行”全国首开医学传播学课程走在全国医学传播前列,同年发布全国首部《健康科普传播框架公约》,主办全国健康促进与医学科普传播大会,已成为国内医学科普领域的学术品牌,被授予“中华精准健康传播基地”。义工“幸福银行”围绕社会服务、科学研究、人才培养、文化传承创新和国际交流合作等大学五大职能,推动健康政策、健康文化、健康中国行动的落地落实,将在广东医科大学健康促进与医学传播学研究所、广东医科大学医学传播学教研室的配合下,助力医务人员“医防融合”能力的普及、普惠,服务形成创新医学教育的新理念新内涵。

案例 2:安宁志愿服务团队(北京协和医院)

1921 年,北京协和医院在建院之初,就成立了中国第一个社会服务部,帮助患者解除心理和习惯上的困惑,引导患者积极配合医生诊治,搭起医生和患者之间的温情桥梁。从中国社会服务工作开创者——北京协和医院第一任社会服务部主任浦爱德,到杰出的医务社会工作专家张中堂,再到现代台湾社会服务体系奠基人刘良沼,北京协和医院社工部的种子播撒到了包括台湾和香港在内的祖国各地。

北京协和医院社会服务工作继承老协和社工传统和人文精神,给患者更多关爱。从搭建平台到整合资源,从志愿服务、转诊、救助到心理疏导,让患者感受到医学诊疗服务的友善和温暖。北京协和医院始终坚持“以人民为中心”的办院方向，以建设“中国特色，世界一流医院”为发展目标，昂首挺立在中国卫生事业的最前沿。

其中突出的例子是北京协和医院安宁志愿服务团队，成立于2013年2月，起初是一支由北京协和医院医生、护士，以及北京协和医学院学生组成的志愿团队，并于同年9月开始服务于北京协和医院肿瘤一病房。“安宁疗护”指的是：通过控制疼痛和不适症状，为不可治愈疾病终末期的患者及家属提供身体、心理、社会和精神等方面照护以及人文关怀等方面服务，以提高生命质量，帮助患者舒适、安详、有尊严地离世。在“健康中国”的目标下，安宁缓和医疗已成为健康服务体系中重要一环，国家卫生健康委老龄健康司从2017年起强力推动安宁疗护工作，目前，已在全国76个城市/地区进行试点。北京协和医院安宁志愿服务团队致力于减少患者身体不适，关注患者及家属心灵，帮助他们完成未了的心愿。2015年起，团队开始向全国推广缓和医疗理念，同时积极与社区合作，开展居家患者的安宁疗护，让逝者有尊严、生者无憾。截至2019年底，参与协和安宁志愿队的志愿者达到1 070人，总服务时长共计18 032.5小时，提供了10 181小时的门诊志愿服务和电话随访，累计服务人次近2万，体现了医务社工人文关怀在医学传播中的重要性。2022年1月4日，北京协和医院安宁缓和医疗门诊正式开诊，这个由医生、护士、社工和志愿者共同协作的门诊，最大的愿望就是为重病/末期患者及家人提供改善生命品质的“全人照顾”服务。

四、医院医学传播的不足及展望

医院医学传播是助推医院发展的重要组成部分，既能向外展示医院水平与医疗团队，又能塑造医院形象、开拓医疗市场。对内可增强医院中不同学科的互相理解，打破学科壁垒，凝聚人心，对外可传播医疗特色，打造明星团队，增进医患沟通，增强民众医学素养。新媒体时代的全面到来，医院推进医学传播的工作显得愈发重要，开展好医学传播工作对于提升医院整体发展速度，打造强有力的医院品牌有重要的推动作用。但目前的发展中，受限于不同医院的政策，医学传播学科的全面发展还有很多不足，还有极大的改善空间。

（一）医学传播投入

医学传播涉及临床医学、护理学、公共卫生政策与管理、行为学、传播学、心理学、健康教育等多学科的理论，这让医学传播与其他的传播学领域有了较大的区别，须由专业的人员方能有价值、高效能地进行医学传播。故开展医学传播首先需要专业的人员，亦需要一定的经济投入保障运行。医学传播所需的投入是有形的，但医学传播的产出如品牌、形象、医患关系的改善等结果常是无形的，或是短期内无法直观体现的。因此，这易让人忽略它存在的必要性和医学传播的专业性，而产生投入不足的现象，大大限制了医学传播学学科发展和实际应用价值。

（二）医学传播体制

2021 年 6 月，国务院印发《全民科学素质行动规划纲要（2021—2035 年）》（以下简称《纲要》）正式发布。《纲要》指出，我国科学素质建设虽取得了显著成绩，但也存在一些问题和不足，需提高全民科学素质。《纲要》明确了具体目标：到 2025 年，我国公民具备科学素质的比例超过 15%，到 2035 年，我国公民具备科学素质的比例达到 25%。为实现上述目标，《纲要》部署了一系列提升行动和重点工程。其中提到了要建立完善科技资源科普化机制，鼓励国家科技项目承担单位和人员，结合科研任务加强科普工作。推动在相关科技奖项评定中列入科普工作指标。推动将科普工作实绩作为科技人员职称评聘条件。将科普工作纳入相关科技创新基地考核。开展科技创新主体、科技创新成果科普服务评价，引导建立有效的科技资源科普化机制。

医学素养与健康中国战略密切相关，作为科学素质的重要组成部分，医学传播事业的发展亦是《纲要》所支持的方向。目前，如何评判医学传播的质量与效能，如何从机制上激励医学传播从业者，如何推动医学传播学科的发展，医学传播的运行机制探索等，亦是学科的重要发展方向。

（三）医学传播方式

随着 5G 时代来临，高速移动互联网的普及，信息传播迈入全球化时代。新媒体推陈出新，迅猛发展；传统媒体依旧傲然挺立，生命力顽强。在新的传播形势下，医学传播的方式也随之发展，必须加强传统媒体和新媒体的有机融合，发挥各媒体的优势，通过不同的优化组合，可以达到提高民众医学素养、发展医学传播的目的。

综上所述，足够的人力物力投入、合理的机构体制、科学的传播方式，是医学传播发展所不可或缺的几大因素。新媒体时代，在信息技术迅速发展的情况下，医院管理者及医学传播工作者必须紧跟社会的进步和时代的变化，积极应对，迎难而上，探索医院医学传播工作的新方法、新途径，不断增强医院品牌传播力和影响力。

课后习题

1. 广东医科大学在全国首开《医学传播学》课程，走在全国医学传播前列，请问首开医学传播学课程的时间？

2. 请简述医务社会工作的定义和特点。

3. 请概述叙事医学的内涵，并说明义工“幸福银行”的组成和性质。

参考文献

[1] 中国公民科学素质调查课题组．第十一次中国公民科学素质抽样调查主要结果发布 [J]. 科普研究，2021, 16 (1): 94-95.

[2] 孟馥．医务社会工作与医院志愿者服务实用指南 [M]. 上海：文汇出版社，2011: 2-10.

[3] 高媛媛．关于医院志愿者服务管理探索与分析 [J]. 管理观察，2017, 37 (10): 185-186.

[4] 郭莉萍，王一方．叙事医学在我国的在地化发展 [J]. 中国医学伦理学，2019, 32 (2): 147-152.

[5] CHARON R. Narrative medicine: a model for empathy, reflection, profession and trust [J]. JAMA, 2001, 286 (15): 1897-1902.

[6] 陈艳舒，简璐诗，林颢，等．创新义工服务模式构建和谐医患体系——以全国首家义工“幸福银行”为例 [J]. 现代医院，2018, 18 (3): 316-319.

[7] 彭柯，商明敬，赵宇．构建医院志愿服务体系的思考 [J]. 医学与哲学，2018, 39 (7): 60-63.

第十章　社区医学传播实践

课程要求

1. 了解不同社区群众对医学传播的需求及目前发展情况。
2. 了解社区医学传播的内容。
3. 了解如何区分城镇与乡村社区医学传播的差异。

一、社区群众对医学传播的需求与现状

医学传播属于科学传播工作的范畴，都强调以“需求导向”为原则来策划和组织活动。首先是公众从自身经历、工作和生活的实际出发，立足解决实际生活问题和具备参与社会事务的基本能力而对科学知识产生了了解和学习的需求。其次是社会的科学传播需求，致力于维系人与自然的和谐关系，促进经济社会可持续发展。《“健康中国 2030”规划纲要》提出，健康是促进人的全面发展的必然要求，是经济社会发展的基础条件，随着经济进步、时代发展，人民生活愈加美好，对健康的需求也在与时俱进。

2020 年春节期间，新型冠状病毒肺炎疫情在我国迅速蔓延，给全国人民的生活按了个暂停键。在疫情面前，生命是何其的脆弱。这次疫情，可以说是给国人上了一堂悲痛真实的健康教育课，让群众深刻地体会到健康的可贵，也让群众对健康的需求出现了爆发式的增长。在目前复杂的国际大环境下，可以预见，未来群众对于健康的需求是日益增长的。

根据第十一次中国公民科学素质抽样调查结果显示，我国公民科学素质整体水平快速提升的同时，发展不平衡的问题依然存在，东西部地区的公民

科学素质水平差距进一步加大。2020 年东部、西部地区的公民科学素质水平分别为 13.27% 和 8.44%，相差 4.83%，与 2015 年的差值相比增加了 1.15 个百分点。与此同时，2020 年城镇居民和农村居民的公民科学素质水平分别为 13.75% 和 6.45%，差距达 7.3 个百分点，与 2015 年 7.29 的差值相比，城乡差距未见缩小。老年群体、低文化程度人群的科学素质水平仍然较低。接受调查的 60 岁至 69 岁公民科学素质水平为 3.52%，小学及以下文化程度人群的科学素质水平为 2.11%，均低于 5%。从历年的中国公民科学素质抽样调查结果可以看出，社会群众对于医学知识、健康知识都是高度感兴趣，对社区群众进行医学传播实践特别有意义。

医学传播是开展健康教育的主要形式之一，它利用各种传媒以浅显和通俗易懂的方式，让公众接受医学知识、推广医药卫生及保健技术的应用、倡导科学方法、传播科学思想、弘扬科学精神。医学传播以医学为内容，以普及为目的，为保证人民身体健康服务，为提高社会生产力服务，是一种社会教育，有助于提高公民科学素质。在医学传播的社区实践中，目标人群可分为以下 3 个群体。

1. **健康及亚健康人群** 世界卫生组织认为，健康不仅是没有疾病，而且包括躯体健康、心理健康、社会适应良好和道德健康。由此可知，健康不仅仅是指躯体健康，还包括心理、社会适应、道德品质，四者之间相互依存、相互促进、有机结合。当人体在这几个方面同时健全，才算得上真正的健康。做一个健康的人并不是一件容易的事，因为一个真正健康的人也就意味着是一个全面发展的人。根据国家统计局 2020 年公布的数据，截至 2019 年底，我国总人口为 14.0 亿。其中，10~24 岁青少年人口 2.29 亿（占比 16.4%），22~45 岁育龄女性 2.38 亿（占比 17.0%），而 55 岁及以上人口为 3.52 亿（占比 25.1%）。大部分青少年、育龄女性以及 55 岁以上群体，共同构成了健康传播应重点关注的对象，他们的健康需求具有差异化，心理健康问题及医学保健知识等均是重点人群的主要关注点。社区医学传播在实践中无法与社区教育、社区文化及社区治理等剥离开，它是现代公共文化服务体系中的重要组成部分。越是沉到基层，公共文化服务机构和社区医学传播益民工程的实施机构重合程度越高，存在人员、资源混用的事实和可能性。促进社区医学传播和公共文化服务的有效融合，不仅可以优化服务效能，更能切实提升服务质量。针对健康人群的社区医学传播，现状分析与建议如下。

（1）社区居民医学传播内容需求发展呈现多元交叉：当前社区居民的健康

医学知识需求表现出多元化趋势，形成了生活、预防和提升 3 个层面的具体需求。生活指群众对医学常识、健康饮食、运动、作息认知等层面的了解；预防层面，目前我国完成了《中华人民共和国国民经济和社会发展第十三个五年规划纲要》提出的 2020 年实现“公民具备科学素质的比例超过 10%”的目标任务，大多数人群对健康预防知识的关注程度较高，但是居民在提升层面的需求相对较弱，这里指的全面提升医学素养，具备甄别真伪信息的能力。主要原因可能是社区推送的医学科普信息与居民需求有差异，社区医学传播方式则多采用“知识讲座”“居民大会”“入户教育”等较为单一的“灌输式”教育为主，对居民作为“需方”学习与渴望得到卫生知识的自主性、自发性及需求关注不够，故真正能走进老百姓家，既让民众喜欢看又实用的材料不多，亟须解决“你推送的不是我想要的”现实尴尬。

(2) 社区医学传播信源呈现多样化和网络化趋势：随着科技发展，居民在获取医学知识内容的渠道方面对社区的依赖性逐渐减弱，社区变成居民获取信息网络中的一个节点，从传统的纵向等级方式转变为网络化的平等结构。调查发现，社区居民高度认可微信、微博、短视频等应用程序，相比传统的科普宣传栏、社区网站等，传播优势更为明显。居民更希望接收的医学传播方式变得更加智能、便捷，尤其对信息的科学权威性有很高的期待。

而在某些欠发达地区，有些活动偏重大众媒体的宣传，由于农民接受医学知识的能力有限及传播媒体的限制，人际传播才能有效到达这些人群，并促进其改变行为。当地政府可以农村三级预防保健网为基础，动员与开发多种有效和适宜的社区资源、途径与材料，促进社区创立有利于健康的政策与环境支持，包括对基层卫生服务的调整，结合农村社区的实际情况将健康教育与基层初级卫生保健、妇联工作、计划生育、文化宣传等社区常规的卫生与健康服务结合起来形成传播网络。

(3) 社区居民呈现对互动交流型科普的高需求：当前居民对社区科普的满意度不高，需要提升和改善的方面集中表现在：社区科普设施更新缓慢，互动交流形式少等。如，社区科普传播专栏无法提供提问、反馈、互动交流等智能化功能。传统社区科普受益人群分布比较窄，以老年人为主，多依赖于人际传播的方式，多局限于利用村医、社区卫生保健宣传、社区干部等少数传播者，能够调动的社会资源有限。另外中青年群体参与率较低，据上述调查数据显示，中青年群体对健康知识的需求更为迫切。建议可以加强智慧社区管理体系的运用，以保健预防传播为主，动员与开发多种有效且适宜的社区医学传播资源、途径与材料，使公共服务将触达更广泛的社区人群，助力构建共同价值理念、人人充分参与的美好和谐社区。

2. **确诊患者** 医学传播以医学为内容，以普及为目的，为保证人民身体健康服务，为提高社会生产力服务，是一种社会教育。根据健康教育所面向的受众的不同，它可以进一步细分成很多子方向。如根据社区属性所衍生出的“农村医学传播”或“学校医学传播”，根据生理属性所衍生出的“老年人医学传播”或“女性医学传播”，根据疾病或健康领域所衍生出的“传染病医学传播”或“烟草危害医学传播”。当然，还有一个重要维度，即根据受众是否已经患病，或者说是以预防还是治疗为目来进行区分，这就衍生出了“患者医学传播”。

患者医学传播的需求主要集中在患者教育方面，这是显而易见的，其中包括病情严重程度、治疗、预后等相关解读，指导院外用药监护，心理慰藉疏导，识别病情变化，提醒定期复查等。假如对社区群众进行群体划分，健康的群众作为一个较大的群体，而患病的群众则作为里面的一个特殊群体，健康的人群也存在患病的概率，会转变角色地位，健康人群转换成患者的过程伴随着生理及心理层面的变化，针对患者的医学传播，需要把握这个特殊群体的特点。在需求意愿方面，患者较普通人对医学科普的需求更强，也有更强的意愿来接受教育。这与普通人所要求的医学传播不同。

(1)深度不同：俗话说久病成医，长期患病的患者与普通人相比，他们往往已经在一定程度具备了某一疾病相关的医学知识，或者具备更强的学习自我驱动力。同时从心理角度来看，他们更加渴望拥有健康的身体以及恢复健康，他们所希望获取的科普内容要更为专业、前沿与深入。

(2)形式不同：针对普通人的医学传播应当吸引更多关注，如侧重趣味性、娱乐性、故事性等，其目的往往只在于让更多的人达到知晓疾病的水平。而面向患者时则需要更加侧重于针对性、系统性、直接性等。因此我们可以选择更适合他们的医学科普视频、公益广告、病友交流会等形式。患者则还会需要能够方便保存查阅的文字类、视频内容，内容方面可以较为专业。患者较普通人更加注重隐私，针对患者的医学传播本身受众较少，也更难于传播。针对场景方面的传播，一般不会选择大众媒体，可以创立更加专业的医学传播论坛、网络社区及院内宣讲会等应用场景。

医务工作者作为对患者进行医学传播的主体，除了对医学专业的热忱与社会责任的担当之外，主要还要坚持以下几个原则。

(1)科学性：理性与客观是科学所遵循的基本原则，及时向患者传递正确的科学信息。

(2)传播性：针对患者这特殊群体选择相应的传播方式，根据不同患者的接收程度、疾病的严重程度以及预后等，选择合适的传播方式，这都需要建立在扎实的基础上。

(3)持久性：通过医学传播促成健康行为的成功转化是一个漫长的过程，要做好持之以恒的准备。

(4)时效性：医学传播要紧跟学术前沿，保证临床实践的同步，将最新的医学资讯传播给患者。

患者教育涉及广度更大、深度更高，医学传播的工作量和难度都更高，医务工作者是该首当其冲做好传播工作的人群，当传播成功转化后，患者也可以主动参与其中，通过共情、自助与互助，贡献自己的力量帮助更多的人。

3. **患者家属**　患者家属作为上述分类的两个主体之外，被分为一个独立的群体，是健康人群及患者两个子集的交叉，这个群体具备两个群体的某些共性，如既能作为健康人群接收医学传播的知识，又具备患者群体的共情力，在接收医学相关咨询方面更为感同身受。但患者家属相对另外两个群体更为值得关注的应该是心理压力层面，因照看患者使得心理、经济、体力精力等方面均承受较大压力，医学传播活动参与度不高，缺乏正确的科学照护理念及方法等。产生这种问题的根本原因主要是缺乏针对性的医学传播，可能原因有患者方面的原因，如：文化层次不高，不能理解科学的医疗方案；对医疗行为抱有不信任感，不愿听从医嘱理性决策；经济、精力等现实情况影响医疗决策的制订等。亦有医疗工作者方面的原因，如：医护人员工作繁忙，与家属沟通交流时间较少，加之专业知识的解释难以到位，未能使家属对病情有足够理解；医护人员大多只关注疾病发展而忽略作为个体的人本身，缺少人文关怀；医生跟家属接触机会少，沟通交流少，未能理解一些家属行为深层次的原因，以致医患沟通不顺利；甚至个别医生较缺乏与患方沟通交流的技能、技巧，导致患方心理需求得不到相应的满足，容易产生负面心理作用。

对患病弱势群体的关爱程度，体现了整个社会文明的底线水平，也是全面建成高水平小康社会的必然要求。但是目前我们很少注意到作为患者的照料者——家属群体，整个社会还缺乏为他们提供服务和关爱的制度安排和人文氛围。疾病给患者带来极大痛苦，同时也带给家属经济上及心理上的更多负担，却又较为隐蔽，往往没有机会表达，也不太为社会所关注，政府和社会也缺少相应的政策和措施，来缓解他们心理上的压力。各方面的原因综合而导致医学传播未能达到希望的效果。对此,医护人员应根据患者的个体特点及患者家属的需求,开展多种形式针对性的医学传播。

(1)加强相关心理卫生知识培训和宣传:首先,要加强疾病康复队伍的心理卫生知识培训,特别是提升患者家属心理健康水平。因为家属是照顾患者的重要的直接主体。其次,从社会层面加强对患者家属心理卫生知识的宣传和普及,教授一些简单的心理减压技巧,传授一些照顾患者技巧,传授和患者沟通的技巧,促进患者家属对自身心理状态的了解,提升其自我调节能力。最后,借助各种媒体工具进行医学传播加强公众对患者及家属心理卫生知识的了解,在全社会营造正能量氛围。

(2)增加医学传播方式与形式:借助交流互助平台和组织进行医学传播,比如病友联盟、残联网站,增强互动,强化专人管理,使得家属可以通过平台交流和分享经验。同时,也可以利用这些平台,对病残者家属开展简单的心理咨询服务。其次,积极利用新媒体的渗透性、交互性、便利性特征,创新病残者家属交流互助方式。通过官方建立的家属互助群、互助平台等,有效汇聚病残者家属的需求。最后,积极创新形式,通过建立亲友会等组织提升服务的广度。在制度上,亲友会可以依附于组织,为其提供资金支持,加强组织和管理,由家属自愿参加,并且经常性开展面对面交流和互助。相信这些活动开展后,必能极大地促进病残者家属的心理健康水平,同时也能更好地促进和改善病残者本身的生活质量。

(3)加强医患沟通:入院时,医务人员应热情接待,对每位患者家属都应做好入院宣教,详细讲解入院须知和医院规章制度,强调陪护、探视制度和个人财物安全保管制度。用通俗易懂的语言讲解公共卫生知识和照料信息,了解陪护家属的教育需求,可以定期召开培训,如沟通技巧、基本护理技能等。

(4)提高社会工作者的介入水平:以社区为主要阵地,建立心理疏导和社会工作服务网络,为患者家属提供情绪引导、心理辅导、资源链接、困难纾解、社会支持、网络修复等服务,社区应当鼓励出院患者及家属、隔离人员家属主动寻求社会和心理支持,由专业人员进行心理与社会工作服务需求评估。营造健康向上的社区氛围,促进社会稳定。

(5)应用医学人文与叙事医学:医学应该是有温度的学科,倾诉与倾听往往能让患者与家属情绪稳定、配合治疗,提高医嘱依从性。医学人文是与医学科学相互交叉和促进的。作为医学人文的分支,一个在技术和叙事上都有能力的医学专业人士能够更大程度上缓解人们的病痛,叙事医学因此而生。叙事能力是获得、吸收、解释、回应故事和其他人类困境的能力，具有实践叙事医学能力的医务人员可以更富有同理心与共情能力，而叙事医学本身也可作为医学传播的一部分，为公众传播医学知识。

(6)科普舒缓治疗及死亡教育：加强对终末期患者家属的心理支持，“有时去治愈，常常去帮助，总是去安慰”，医学有太多力所不能及的情况，对终末期患者家属，加强临终关怀方面的医学传播及舒缓治疗的知识普及，减少家属医疗决策的误区，加强心理疏导，引导其宣泄哀伤情绪，正视死亡；患者病亡后，帮助其顺利渡过哀伤期，恢复正常生活。必要时，联系心理和精神卫生专业人员提供专业支持。

以上各种措施，不一而足，仅此抛砖引玉。在实践中更好地提高医学传播的效果，也是未来社区医学传播努力的方向。

二、社区医学传播的内容

在了解社区医学传播现状的基础上，要对不同的人群有针对性地进行他们所需求的医学传播，以期达到健康促进的目的。不同于医学生、医务人员内部的学习，社区医学传播所面向的民众文化基础千差万别，理解力、执行力也各不相同，所以，社区医学传播需注重内容的实用性、易记性、可操作性，对于医学原理的解释及拓展不需要太深入，点到为止，对于较深入内容有需求的民众可提供另外的学习渠道。一般情况下，社区医学传播的内容可大致分为以下数类。

（一）健康常识类

本类医学内容主要是一些说起来大家都较为熟知，但实际生活上很多人做不到的健康常识，比如讲卫生、戒烟、戒酒、不熬夜、均衡膳食、适当运动等。从疾病预防的角度来讲，健康促进与医学传播活动对“传染性疾病”或“生活方式疾病”起着至关重要的作用；另外，有些疾病可能更多地依赖于生活条件、经济发展、教育及医学进步等综合因素，如计划免疫的推动、新疗法新观念等。这时医务工作者做好医学传播工作，提高相关服务或措施的利用水平，是提高人口健康水平的重要措施。对于这方面的知识，在医学传播过程中，内容上主要注意解释清楚这些健康常识背后的原因，适当引用疾病案例，引起民众的重视，在传播手段上可多渠道反复宣教，以高频次出现来对民众进行潜移默化的教导。

（二）疾病预防类

本类医学内容主要有这几个方面：首先，是对一些常见病、多发病及慢性病患者进行一些居家可行的预防指导，要求有较强的普及性及可操作性；其次，对一些可防、可治的常见病、多发病患者，可指导预防和家庭护理、治疗方法，减少无必要的就医；对常见慢性病（如高血压、糖尿病、冠心病、痛风等）患者进行相关的科普知识及简单的家庭操作指导，让民众认识到慢性病的长期危害，进而配合医嘱，进行良好的控制，提高依从性，减少慢性病的远期并发症。

（三）医学辟谣类

本类医学内容主要是对在民众中流传的一些健康领域的谣言进行有针对性的解释及科普，内容大多包含相应的经过明确证明的科学证据，有相应的统计学数据和循证医学证据，观点论据分明，对谣言的传播点进行有针对性的辩斥，科学性与理论性较强。如推广全民接种新冠病毒疫苗时，总有关于接种新冠病毒疫苗的谣言在传播，甚至还扩展到接种所有疫苗均有害，在民众中引起了不好的影响，相关的辟谣科普则拿出了我国预防接种措施实行后各种传染病的发病率、死亡率的官方统计数据及变化曲线进行有力驳斥，加上对于现阶段新冠疫苗的制备原理及免疫原理的科普及临床数据，用明确的科学根据辟谣，解除民众的顾虑。而相对于其他内容的生产与传播的主动性，辟谣类内容的特点是被动与滞后的，一般在谣言产生与传播后进行。不过通过掌握谣言产生的原因以及传播的规律，作为医学生以及医务工作者可以灵活运用医学传播学的方法和技巧，通过建立辟谣科普库，发现谣言热点问题，在谣言产生后能够迅速做出反应。经过长时间的医学传播干预，群众的健康意识得到提高，也属于将辟谣工作提前的一种成效。

（四）急救技能类

本类医学内容主要是一些对时间要求非常紧迫的院前急救技能，因为多数猝死或意外发生时并无医护人员恰巧在场，急救车辆的到达需要一定的时间，而发病后宝贵的几分钟可以决定患者的预后甚至是生死。因此，面向民众的此类科普就显得十分重要，多一个人掌握急救技能，就多一分抢救成功的希望，这也是近年来备受重视的科普方向。其中较重要的内容有心肺复苏技能及海姆立克急救法，分别用于抢救心跳呼吸骤停患者及异物导致的急性气道堵塞患者，这是目前各地开展的救护员培训所必须掌握的最基础内容。另外一些如烧烫伤的初步处理、煤气中毒的初步处理等，亦是此类科普的重要内容。以最快速度实施急救，对于院前急救的成功率有极大的提升，能明显改善患者的预后。还可以通过制订地方急救政策、设立急救热线等方式进行急救技能科普，例如一些发达城市设立了急救快车道等急救应急设备等，能够更好地提高群众的急救风险意识，争取更多救治的时间。

（五）就医指导类

本类医学内容主要是帮助民众进行就医前的初步准备，就医前准备得充分与否将会直接或间接地影响到就医的质量。内容涉及面比较广，常见的有如下几种：①就医流程的介绍，到医院需什么手续，带什么证件，准备什么以往的病历资料，本地各大医院的特色专科及名医介绍等；②各种常见症状、疾病的初步判断及专科分诊知识，提供一些实用、易操作、有辨识度的知识，以便患者及家属在就医前对自身的症状心中有数，就医时有的放矢，少走弯路；③各种急重症的信号及本地的就诊绿色通道，如胸痛、脑卒中的典型症状及治疗方案等医学知识科普，及本地各大胸痛中心、卒中中心的就诊流程，使民众在需要的时候能有足够的知识做出正确的医疗决策，减少因不重视或犹豫不决或不信任造成的治疗延误；④婴幼儿、孕产妇的保健检查流程知识，婴幼儿、孕产妇不是传统意义上的患者，但也是医疗保障的重点人群，亦是需要按固定流程在固定时间做固定检查的人群，不同时期的检查都有着重要的意义，指导她们重视按时检查，对一些疾病的早防早治、提高人口素质有着重要意义。

（六）家庭照护类

本类医学内容主要是提供一些家庭护理的知识，对于一些病情未达到住院标准但又需要较为专业护理的人群有重要指导意义，如急、慢性病康复期患者，失智 / 失能人群，婴幼儿，孕产妇等。现阶段国家逐步进入老龄化社会，年龄相关的急慢性病患者、失能失智的人群越来越多，而目前社会上的养老模式多数仍是以家庭为单位、以社区为中心集中，对于家庭照护知识的需求越来越大，定期提供相关知识的科普，加强护理员的培训，重视老年慢性病康复与防治，了解社区内的人群并建立档案，对需要不同护理的人群进行有针对性的知识培训，培养老年慢性病患者的健康促进生活方式，改善不良生活方式，可确切提高病患的生存质量，减少不必要的医疗支出。

（七）心理疏导类

本类医学内容主要是精神心理卫生的知识。随着社会发展，生活节奏加快，现代人生活压力、精神压力较之以前明显增大，城市化的进展与受教育水平的提高，亦让更多人注意到精神心理健康的重要性。精神心理卫生知识的科普，目的在于让民众科学认识自身的心理状态，了解精神心理健康亦是健康状态的重要部分，在生活工作中学会调整心态，舒缓焦虑、抑郁等负面情绪，对一些不可控的精神心理症状有一定的认识，懂得求助及在适当时候就医，正视心理健康问题，不讳疾忌医。同时也让其他民众理解精神心理健康的基本知识，消除偏见与歧视，对患病人群多予以理解与支持。

（八）政策解读类

本类内容主要是对于医疗相关的国家政策方针的解读。国家政策是医疗及相关行业的发展指南，与医疗行为、民众就医有密切的相关性，但很多政策性的文件民众不了解也不关心，在需要办事时经常会走弯路，甚至不小心触犯法律，所以政策类相关的科普也十分重要。比如与民众就医关系最为密切的医保政策，各地医保政策均不一样，大家都知道有医保好，治病可以报销，但具体什么人什么情况下可以报销、报销多少，什么能报销什么不能报销，很多人都说不清楚，这就导致了就医时一些不必要的支出及医患沟通的误会。而另一方面，个别医疗机构以小恩小惠的方式诱导一些文化程度不高的老年人住院骗保，套取医保资金，导致一些民众在不知情的情况下触犯了法律，影响到以后医保的使用。这些都是加强相关政策的科普可以避免的。除了医保之外，还有很多医疗政策与民众生活、生产密切相关，比如新冠肺炎疫情时期的各种防疫政策、婴幼儿的预防接种政策、大健康与养老产业发展的政策等，这些都需要有相关的机构去进行医学传播，让更多的民众知道，跟上国家政策的脚步。

三、社区与乡村医学传播的差异

农村居民是我国健康促进与医学传播的重要目标人群之一，我国先后开展了农村卫生知识普及行动、亿万农民健康促进行动、健康素养促进行动等健康促进工作。特别是在近年来，扶贫工作卓有成效，在农村地区全面实施基本公共卫生服务，在一定程度上普及农村居民的健康知识、健康意识和健康技能，促进了健康行为的逐步形成。但因为农村地区地处偏远、交通不便、人力资源队伍和工作条件不足，医学传播存在渠道不畅、形式单一、内容粗糙、方法生硬等问题，尚未形成一套适合我国农村地区特点的和农村居民实际需求的医学传播策略、方法和模式，制约农村健康促进事业的发展。从目前国家西部大开发战略的实施来看，我国东西部的差距不仅限于经济、环境与人才方面，西部地区特别是农村地区平均健康指标、卫生保健服务水平、医学知识水平偏低导致了大量农村人口健康问题仍突出，很多疾病发病率高于全国其他地区，这成为制约健康中国发展的重大问题。

城乡发展不均衡，乡村落后于城市，西部落后于东部，特别是极度偏远的不发达地区，各自所面临的问题更是差异大。生产水平、文化水平、经济水平和生活条件等方面还存在着本质差别。这些差异对人群的健康水平产生了有异于城市居民的影响，在医学传播的过程中，必须对当地具体的情况进行具体分析，选择适合的医学传播路径，逐步提高人群的医学素养与健康水平。

（一）文化水平差异

在我国目前高速城市化发展的情况下，年轻人外出就业，乡村呈现了明显的人口空心化趋势，老人与留守儿童为主要人群组成，大多文化程度不高，对健康及疾病的认识停留在较低级的水平，不能理解很多常见病和多发病的发生、发展与转归，很多城市居民习以为常的健康习惯在乡村远远没有形成，甚至还有不少陈旧陋习。在这样的状况下，在乡村进行医学传播，要立足于本地的乡情，抓住现阶段本地的健康痛点，开发适合乡村的医学传播形式。像是在城市年轻人中的流行语、动漫科普、公众号、朋友圈等，在乡村则得不到应有的传播效果，反而是如方言小曲、顺口溜、人际交流等易记、易传的形式，结合乡村的流行短视频平台可以取得较强的传播效应。在更偏远落后的地方，可以用本地的文化风俗如地方戏曲、相声小品等来融入科普。同时，亦要注意科普的知识深度、语言用词的选择，要让所要传播的内容确实能影响民众，达到所需的传播效果。

（二）经济水平差异

现阶段我国城乡的生产力仍有着明显的区别，工业化及市场化效应造成了城乡经济水平的差距，这直接影响了乡村地区居民的可支配收入，表现在健康领域则可明显地影响当地的医疗资源、保障水平及人们的医疗策略。近年来，我国大力推行的农村合作医疗为乡村居民大大减轻了医疗负担，但大病重病仍是普通人难以承受之重，另亦有部分人群对于每年固定的医疗保障支出不理解而拒绝参保，在疾病发生之后得不到最基础的保障。在这样的状况下，一是要争取政策支持，实行对口医疗支援，改善当地的医疗保障水平；二是要根据当地的乡情，有针对性地加强医疗政策类的科普传播，提高参保率，提供大病救助平台，减少因经济问题造成的消极医疗决策，帮助人们在疾病与经济能力的权衡中做出正确的选择；三是择适合当地的“医防融合”切入点，健康关口前移，提高人群健康水平，从根本上减少医疗支出。

（三）生活条件差异

在我国上下几千年的农业社会历史中，形成了各地各有特色的乡村生活模式，地域差别极大，“十里不同音，百里不同俗”，不同的风俗与饮食习惯及遗传因素，会造成当地特别的疾病谱，比如云南少数民族地区居民曾经有爱吃生的或未煮熟的猪肉的习惯，对猪带绦虫病的传播起着决定的作用；在广东则是因为遗传因素造成了地中海贫血基因的高携带率，反映在乡村地区则容易因为忽略产检而造成重症地中海贫血患儿的出生；还有很多地区性的疾病，通过流行病学调查找出原因后，本都可以针对性解决，但乡村地区因为知识、文化、经济水平的限制，仍会出现聚集性病例。进行针对性医学科普传播可以明显减少此类疾病的发病率，从而减少公共卫生支出，减轻民众负担，是最科学的健康战略。而不同乡村的聚居模式、管理水平亦是影响医学传播效果的重要因素，在医学传播的实践中，要根据当地的具体情况，选择更有效率的传播方式。比如一些知识借由乡村较有威信的乡贤、深得人心的乡村医生传播出去，效果会比普通人说得有效，村民们可能因为“虽然不知道为什么，但他说得肯定有道理”而去执行一些本与当地乡村传统相悖的健康行为；而在一些乡村，大城市大医院下乡义诊、专家的说法亦有较强的说服力，对口的医疗支援应该重视医学传播，并将此形成常态性工作；一些医疗政策类的传播，可由村长等村委会管理人员以广播、上门宣传等方式传播出去，做好解释工作，提高知晓率与执行率。

在我国现阶段的城乡政策下，在乡村的医学传播，需要打破我们平时的思维定式，懂得把视线放到当地的实际上去，根据医学传播的基本原理和方法，结合中国农村健康教育与健康促进的实际情况、工作需要为出发点。不一样的医学知识传播,在不一样的地方,能达到最好效果的手段可能有很大的区别。要结合当地实际,在实践中探索,主动寻找最适合的传播方式,是做好乡村医学传播所必需的精神。

课后习题

1. 请简要阐述患者家属对社区医学传播的需求。
2. 请列举至少三方面社区医学传播的内容并针对每个方面做简要介绍。
3. 你认为乡村社区医学传播相比城镇医学传播,差异性主要有哪些?在乡村应如何更有针对性进行医学传播?

参考文献

[1] 高川,周俞余,郭旭芳,等.医学人文的过去,现在和未来[J].协和医学杂志,2022,13(1):152-157.
[2] 李淑鹏.农村空心化对农村发展的影响及对策研究[J].现代化农业,2022,44(1):49-51.
[3] 沈志明,刘萍萍.新医改背景下医务社会工作与志愿者服务——以上海市第一人民医院为例[J].中国医学伦理学,2012,25(2):186-188.
[4] 范以锦.从传播渠道创新到传播效果提升——浅析大数据时代的对外传播[J].对外传播,2015,22(10):2.
[5] 杨健.图像传播的视觉表征——视觉文化下图像传播对世界的反映[J].青年记者,2011,18(35):33-34.
[6] 邓菊英.医务社会工作与医疗志愿服务联动机制的实践研究[J].医学与哲学,2020,41(10):43-45.
[7] 印银凤.关于医院志愿者的管理方法和服务创新策略分析[J].心理医生,2016,22(20):238-239.

第十一章　家庭医学传播实践

课程要求

1. 了解家庭医学的定义和产生背景。
2. 了解家庭医学传播现状和发展障碍。
3. 了解上海家庭医学传播当前现状。
4. 分析当前我国家庭医学传播存在不足及未来发展方向。

一、背景

家庭医学又称全科医学，是一个面向个体、家庭与社会，整合了临床医学、预防医学、康复医学以及医学心理学、人文社会学科相关内容于一体的综合的医学专业学科，以生物 - 心理 - 社会医学模式为基础其主旨强调以人为中心、以家庭为单位、以整体健康的维护与促进为方向的长期负责式照顾，并将个体与群体健康照顾融为一体。家庭医学诞生于 20 世纪 60 年代，是西方国家全科医生在长期实践经验的基础上，综合了现代生物医学、临床医学、行为社会和社会科学的学科成果，用以指导医生从事基层医疗保健第一线服务的知识技能体系。这一新兴学科于 20 世纪 80 年代后期传入中国，1993 年 11 月中华医学会全科医学分会成立，标志着我国全科医学（家庭医学）学科的诞生。

家庭医生作为家庭医学的主要从业者，是对个人、家庭和社区，提供优质、方便、经济有效的、一体化的基础性医疗保健服务，进行生命、健康与疾病的全过程，全方位负责式管理的医生。家庭医生在工作中的角色，不仅仅是一位临床医生，更是一位教育者、沟通者、守门人、管理者与组织协调者。家庭医生需要利用各种机会和形式，对服务对象（包括健康人、高危险人群和患者）随时进行深入细致的健康教育，保证教育的全面性、科学性和针对性，并对教育效果进行评估。因此，医学传播是家庭医生日常工作的重要组成部分之一，良好的传播能力也是家庭医生的基本能力之一。

美国学者罗杰斯（Rogers）曾提出，健康传播是一种将医学领域的研究成果转化为大众能够广泛接受的通俗健康知识，并通过改变大众对健康的态度和行为，以降低疾病在大众群体中的患病率和死亡率，最终达到有效提高社区或国民生活质量和健康水准的行为。相比于健康传播，医学传播的核心目的是将专业程度较高、但对民众生命健康起到关键作用的医学知识对民众进行科普和传播，进而提升民众的医学素养，最终提升人们生活质量和健康水平。

二、现状

家庭医学范畴的医学传播多在以医患人际传播为核心的背景下进行，家庭医生和社区内相关人群（如患者及患者家属、高危患病人群，对某个话题感兴趣的健康人群等）在日常门诊、上门出诊、健康宣教等日常工作中，围绕某个或某些健康问题进行深入的信息交流，所交流的信息既有与疾病诊治及健康问题直接相关的内容，也包括双方的思想、情感、愿望和要求等方面的表达。良好的医患人际传播使相关人群能充分、有效地理解医疗活动，通过沟通而相互理解、相互支持、相互协作，共同参与健康问题的决策，减少不必要的误解和纠纷。同时，这也有助于家庭医生调整自己或提高社区内相关人群的医学观念，使双方相互理解，医患之间协调的关系是各种联系和一切诊疗活动的基础，以保证医疗活动可以顺利开展。家庭医生可以就某一热点话题、某一健康问题乃至某一种疾病，通过社区群众能够接触到的方式，如社区健康科普讲座、公众号医学科普文章、科普漫画、短视频、电视台健康节目等，向大众传播专业、正确又通俗易懂的医学知识。

现在“养生”“保健”等商家为营销而创造的伪科学概念大行其道，而家庭医生作为最贴近群众与社区的医生，在医学传播过程中，还肩负着“拨乱反正”“去伪存真”的重要使命，帮助社区内相关人群识别商家“套路”，传播正确、有效、先进的医学健康知识。

家庭医生在医学传播方面遇到的障碍主要有以下几个方面。

1. **家庭医生对医学传播的认识程度不够**　很大部分的家庭医生还停留

在传统职业认知层面，并未意识到医学传播在家庭医生工作中的重要性，仍以临床及科研工作为其核心工作，对医学知识的科普与传播不够重视。

2. **群众对预防、健康意识不足** 绝大多数我国民众还有着“有病治病、无病万幸”的思想，关于健康生活、预防疾病的意识不足，这也造成了社区居民对于家庭医生关于健康生活方式的相关医学传播内容兴趣不高。

3. **群众对家庭医生存在一定偏见** 家庭医学于20世纪80年代传入我国，属于新兴学科，我国民众对于家庭医学及家庭医生的认识不够。加之学科发展、医疗改革等社会客观原因，家庭医生现阶段学历水平普遍低于专科医生。群众对于家庭医生的信任程度不够，对其传播的医学知识持保留态度，更信任专科医生。

4. **家庭医生可用于医学传播方面的工作时间不足** 基于我国人口基数过大及人口老龄化等问题，我国家庭医生的日常工作繁重，日均门诊量为100人次左右。特别是在新冠肺炎疫情肆虐全球的大背景下，家庭医生承担了很大一部分疫情防控工作，从事医学传播的工作时间严重不足。

5. **家庭医生医学传播能力不足** 部分家庭医生还停留在门诊“看病开药”的传统工作模式中，语言表达能力有限，从事医学传播的能力不足。

三、案例分析

1997年国务院出台的《关于发展和完善农村合作医疗若干意见的通知》（国发〔1997〕18号），虽然还未明确提出家庭医生签约服务制度，但从“初级卫生保健”“家庭医疗预防保健服务”等词汇中，已经出现家庭医生签约服务制度的萌芽。2006年，“十一五”规划纲要提出到2010年在全国初步建立覆盖城乡居民的基本卫生保健制度框架，初步建立较完善的社区卫生服务体系。2008年，上海周家桥社区卫生服务中心作为长宁区的试点单位，率先开展“责任制医生”健康管理服务模式，探索家庭医生服务模式。2009年长宁区出台《长宁区家庭健康责任制工作实施方案》，从此“家庭医生”的概念正式提出并逐渐深入人心。2010年，上海市总结长宁、徐汇和浦东3个区域的家庭医生试点工作，并开始在全市推广。截至2017年，上海地区的家庭医生服务签约率已达45%。

2020年，上海市卫生健康委、市中医药管理局制定了《上海市家庭医生签约服务规范（2020版）》。规范中指出家庭医生团队是签约服务实施主体，负责具体执行、团队建设与管理，为签约对象提供连续综合、安全有效、便捷经济的基本卫生健康服务。而家庭医生团队是以家庭医生为核心，社区卫生服务机构相关医务人员和专业人员组成的服务团体。每个团队至少配备 1 名家庭医生、1 名社区护士、1 名公共卫生医师（可兼职）以及康复治疗师，每个团队原则上应包括 1 名提供中医药服务的医师。社区卫生服务机构根据辖区常住人口及功能社区的人口数量、结构、行政区划、服务半径等合理配置家庭医生团队，原则上每名家庭医生签约人数不超过 2 000 人，其中重点人群（老年人、孕产妇、儿童、残疾人、慢性病患者、计划生育特殊家庭、困难人群等）不超过 1 000 人。家庭医生团队按相关业务规范为签约对象提供基本医疗与基本公共卫生服务、慢性病长处方、延伸处方等便捷服务，具体包括但不限于门诊、住院、慢性病管理、传染病管理、健康管理、康复、护理、家庭病床、安宁疗护等。

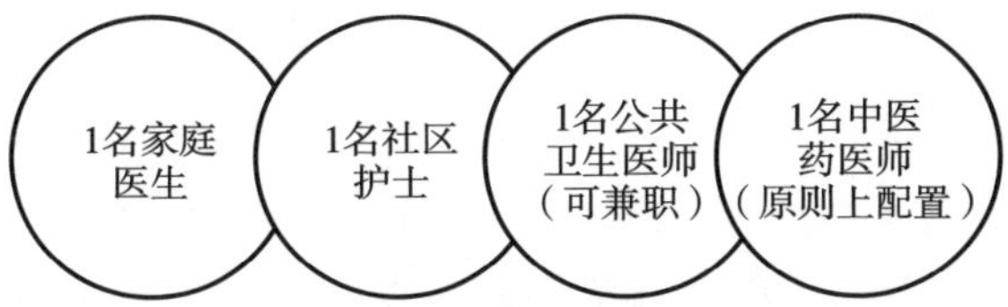

家庭医生团队配置

在日常门诊、上门出诊、健康宣教等日常工作中，家庭医生都可以对患者、患者家属及部分健康人群进行医学知识的传播。家庭医生在日常门诊及上门出诊过程中，根据患者存在的健康问题，对患者及患者家属进行相关医学知识及健康行为模式的传播。在社区健康宣教过程中，就某一热点话题，如“骨关节炎的治与防”“糖尿病患者怎样吃饭”“老年人冬季养生”等，在社区内对相关人群（如患者及患者家属、高危患病人群，对某个话题感兴趣的健康人群等）进行健康讲座。同时，在“互联网 +”的背景下，部分家庭医生也走在了时代前沿，通过公众号科普文章、科普漫画甚至短视频等新兴方式进行医学传播。在我国老龄人口“井喷”式到来的今天，传统的医学传播方式并未过时，家庭医生会参与健康知识宣传单页、小区医学科普壁报的制作，“明星”家庭医生也参与了电台、电视台相关健康节目的录制与直播。传播内容因受众、场景的不同而有所不同。在日常门诊、上门出诊等“一对一”的环境中，家庭医生传播的医学知识多为针对个人及家庭的疾病指导、体检结果解读、某个疾病的预防与康复、心理疏导等个性化内容；在健康讲座、科普文章、漫画、短视频、平台直播乃至宣传单页、科普壁报等“一对多”的环境中，家庭医生传播的医学知识多为泛健康知识科普、时事热点健康问题等相对普适化内容。

四、当前不足及展望

（一）资源配置

在当前医疗环境中，包含医学知识科普在内的医学传播并未量化纳入家庭医生绩效考核体系中。家庭医生进行医学知识传播的动力多来自自身职业素养、对于传播医学知识的热情、单位领导的支持鼓励及学会举办相关科普比赛的支持。为将来更好地进行医学传播、更大地激发家庭医生传播医学知识的热情，有关部门应加大投入，将医学传播量化纳入家庭医生绩效考核体系，并创造更多的平台及机会鼓励、支持家庭医生进行医学传播。

（二）人才培养

2021 年 1 月，上海市卫生健康委发布了《关于加强本市医疗卫生机构健康教育与健康促进工作的指导意见》，要求医疗卫生机构强化组织领导，实施健康促进医院策略，把健康教育与健康促进工作纳入医院发展战略和规划，完善管理体制与运行机制，努力营造健康支持环境和社会氛围。

（三）传播方式

在“互联网 +”时代，有一部分家庭医生走在了时代前沿，利用自媒体、网络直播、科普公众号等新颖形式进行医学知识传播。但健康讲座、宣传单页及科普壁报等传统的医学知识传播方式仍有很大的使用频率。在我国“老龄化”问题日益严重的今天，大部分老年人并不能非常熟练地使用各种电子化产品，“互联网 +”的传播形式并不能很好地被他们接受；而传统的传播方式在时效性、经济性及新颖性上又存在极大的欠缺。未来，我们需要针对不同人群采取不同的传播方式，并在此基础上探索更高效、更科学的传播方式。

（四）中国特色

在家庭医生培养方面，英国的全科医学教育采取“5+2+3”模式，即 5 年的医学本科教育、2 年的基础医疗培训、3 年的全科医学专业培训；美国的家庭医生培养采取“4+4+3”模式，属于“精英教育”，学生需在完成 4 年本科教育后，才能申请进入医学院校继续学习 4 年，毕业后再进行 3 年的住院医师培训。

在其培养过程当中，均会涉及医患沟通及医学传播学的相关知识。“5+3”模式是目前我国全科住院医师规范化培训的主要模式，即医学生完成5年的临床医学专业本科教育，然后在全科医学规范化培训基地接受3年住院医师规范化培训。在本科教育阶段，目前仅有广东医科大学、上海交通大学医学院等部分高校设有医学传播学的相关选修内容。3年的住院医师规范化培训当中，在社区卫生服务中心的实践时间为6个月，在此期间会进行社区医学知识传播的相关实践。

在服务内容方面，英国全科医生服务内容包括对常见病的诊断治疗及转诊、慢性病的管理、预防监测传染病、急救、疾病筛查、健康咨询、社区康复健康促进等。美国全科医生服务比英国少，但允许全科医生在医疗资源不足的地方，在其诊疗范围内适当扩大服务内容，如做皮肤科小手术、无并发症孕妇的助产等。我国全科医生服务内容以“服务包”的形式体现，可以分为基本服务包和个性化服务包。基本服务包每个签约者都能够享受，包括健康知识教育、健康问题解答、健康档案管理、短期内为病情稳定的慢性病患者提供处方等；而个性服务包囊括0~6岁儿童服务包、孕产妇服务包、65岁以上老年人服务包、残疾人服务包、精神障碍患者服务包等，居民可根据自身需求进行选择。中西方家庭医生服务内容均对医学知识的传播有所涉及。

针对于我国人口基数大、部分社区人口构成复杂等问题，我们应尽早开展医学传播学的本科教育，并进行相关实践，培养家庭医生进行医学知识传播的能力，提高医学知识传播的质量，促进医学知识传播的速度。

课后习题

1. 请简要阐述下家庭医学的定义及家庭医学传播的重要性。
2. 请谈谈你对我国家庭医学发展现状的认识。
3. 对于目前我国家庭医学传播发展现状，请任选角度提出两点建议。

参考文献

[1] 祝墡珠 . 全科医学概论 [M]. 4 版 . 北京 : 人民卫生出版社 , 2013: 1-14, 125-134.
[2] 王晓虹 , 周彬 . 医患关系视阈下的健康传播研究述评——以 EBSCO 传播学全文数据

库相关文献为样本 [J]. 新闻爱好者 , 2020, 35 (7): 93-96.

[3] 徐萌 . 疫情语境下医学科普短视频大众化传播策略创新——以“丁香医生”抖音号为例 [J]. 传媒 , 2020, 22 (18): 38-40.

[4] 张新庆 . 新冠肺炎疫情中医学传播若干问题探析 [J]. 科普研究 , 2020, 15 (5): 9-14, 64.

[5] 陈晓阳 , 周志新 , 杨同卫 . 医学传播的社会责任与伦理思考 [J]. 中国医学伦理学 , 2014, 27 (1): 9-11.

[6] 李文敏 , 程梦珍 , 刘丝 , 等 . 中外全科医生队伍建设对比分析 [J]. 中国医院 , 2021, 25 (11): 64-66.

[7] 赵欣欣 , 孙小婷 , 潘志刚 , 等 . 英美中三国全科医生培养模式对比研究 [J]. 中国全科医学 , 2018, 21 (22): 2660-2663, 2667.

第十二章　大众传媒医学传播实践

课程要求

1. 了解大众传媒的发展过程及其在医学传播中的作用。
2. 知晓大众传媒进行医学传播实践的现状。
3. 分析医学传播中大众传媒发展面临的问题和挑战。
4. 尝试提出推动健康教育中大众传媒应用的相关建议。

一、大众传媒在医学传播中的作用

随着经济社会环境变化和技术进步，大众传媒在健康教育领域中的作用日益突出。党的十八届五中全会将“健康中国”上升为国家战略。为了实现这一既定战略目标，不仅需要开发和应用科学的健康促进项目，还需要最大程度发挥大众传媒的力量，借助现代传播技术开展科学教育，增强国民的医学素养。中共中央、国务院印发的《“健康中国 2030”规划纲要》中明确要求，各级各类媒体加大健康科学知识宣传力度，积极建设和规范各类广播电视等健康栏目，利用新媒体拓展健康教育。第九届全球健康促进大会上发表的《2030可持续发展中的健康促进上海宣言》中也郑重承诺，要充分利用社会创新和交互式技术，通过发挥数字技术的潜力，增强公民对自身健康及健康决定因素的控制。与此同时，大众传媒内部也在经历传统媒体转型和新媒体不断崛起的变化，由于广泛性、时效性以及丰富的表现形式等优势，大众传媒在医学传播上的作用已经越来越重要。

（一）大众传媒的主要发展阶段

大众传媒，即传播大众信息的媒体，是现代社会信息生产、加工和传播的专业性机构。在传统意义上，图书、报纸、杂志 3 种印刷媒介，广播、电视、电影 3 种电子媒介，以及户外媒介等，都属于大众传媒。而在今天，大众传媒还应包括互联网。人类传播媒介的演变经历了从口语、文字、印刷，到电子媒介与新媒体的 5 个不同阶段。而这一演变过程，也是人类医学与其他科学不断发展的过程。不断更新的传播媒介形式是科学技术发展的结果，但反过来，各种媒介形式又将促进包括医学在内的科学传播的发展。

如前所述，卫生知识传播与其他知识的传播一样，都是人类特有的一种社会现象，其伴随着社会的发展而发展。因此，随着大众媒介的发展演变，医学传播的渠道也经历了相应的变迁。

大众传媒的发展可大致分为以下 3 个阶段。

1. **第一阶段**　18、19 世纪，以报纸、杂志、书籍等纸质印刷媒介为主要载体。印刷术在人类科学文化传播史上具有划时代的意义。在中国，宋代毕昇发明了活字印刷术，此后相继出现了木活字、磁活字、锡活字、铜活字等。从这个意义上说，作为中国四大发明之一的印刷术成就了后来更广泛的传播行为，推动了大众传媒的出现。出生于德国美因茨的约翰内斯·古登堡则是西方活字印刷术的发明人，他的印刷技术导致了一场媒介革命，迅速地推动了西方科学和社会的发展。印刷术的发明，革命性地突破了传播领域的空间障碍，有了它才会有第一媒体“报纸”的出现，使大众传播突破了区域和时间对传播内容和传播效果的限制，是一个巨大的社会进步。然而，在当时社会整体教育水平和经济水平不高的背景下，由于媒介成本较高，印刷媒体所影响的人群相对有限。

2. **第二阶段**　20 世纪初，技术进步和经济发展带来电话、广播、电视等电子媒介的诞生，发展和普及，大众传媒发展进入新阶段。远距离传输信息和观看图像是人类长期以来的梦想和愿望，而随着广播和电视的出现，人类的这梦想一步步得以实现。1920 年，世界上第一座有执照的电台在美国开播。广播也诞生于 20 世纪 20 年代。1924 年，英国人贝尔德尝试用最原始的电视机传输图像。1939 年，美国人推出世界上第一台黑白电视机，到 1953 年又把屏幕变成了彩电。到了这一阶段，传媒的手段变得更加丰富也更为迅捷，传播的范围由此变得一日千里，同时也降低了对受众教育水平的要求，因而大众传媒受众从有限人群转变为基本实现全人群覆盖。

3. **第三阶段**　20 世纪 90 年代至今，以互联网为核心的新技术发展使大众传媒进入全新的时代。这一阶段是以网络平台、社交应用软件为主要传播方式的网络传播时代。1946 年，第一台电脑诞生。1969 年，美国出现最早的互联网。1994 年，中国正式接入因特网。电脑与网络具有交互性、快捷性、隐蔽性和多媒体性等众多特点，在这个阶段，不仅传媒覆盖范围更广，且信息传播时速更加迅捷。互联网传播革命为科学文化传播手段的发展带来新的机遇——多媒体化的复合传播手段，于是把科学文化传播带到了一片广阔的天地。人类社会也进入了以新信息、新能源、新材料、生物、航天等高科技为主导的知识经济时代。

综上所述，自工业革命以来，随着技术进步和社会分工深化，大众传媒已成为信息传播的主要载体，影响着人类社会生活的方方面面。在大众传媒已经渗透至社会各个角落的今天，以网络传播为特点的新媒体，标志着医学传播的一个重要发展方向，也对医学传播产生着重要的影响。

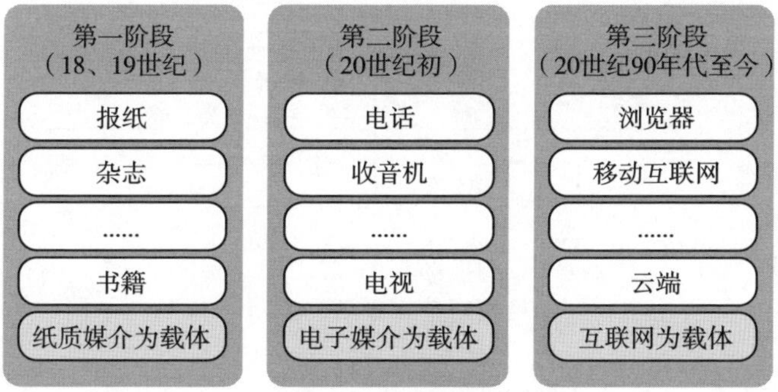

大众传媒的发展阶段

（二）大众传媒在医学传播中的作用

在疾病医学时代，医学被束之高阁，医学素养自然而然地成为医学生和医务人员的专利，对大众维护自身健康的素养教育和健康促进工作，只能停留在健康素养培育上。但在人类医学从疾病诊疗医学模式逐渐过渡到大众医学素养培育的未来医学模式过程中，医学走下神坛走向大众，医学素养的教育学应运而生，适合大众学习和实践应用的一系列课程已经面世，原有的“自表演方式”的医学服务体系职能，也正在逐渐转变为“全病程全生命周期”健康干预活动——联合协作模式，从教育和业务过程行为养成两方面，促进大众医疗素养的养成，促进大众医学行为的效能发挥。

随着技术发展，大众传媒在健康教育中的重要性进一步凸显。《传媒蓝皮书：中国传媒产业发展报告(2021)》数据显示，2020 年中国传媒产业总产值规模达 25 229.7 亿元，中国传媒细分领域呈现两极化发展态势。受疫情影响，报刊、图书、电影等传统领域业务收入有所下降，但网络视听、网络广告、网络游戏等互联网业务在疫情背景下的“宅经济”中却呈超常发展态势。由此可见，依托于新媒体的海量存储技术和即时互动优势，网络已成为人们接触和搜寻医学等各类专业信息的重要渠道，大众传媒也已成为解决重大卫生问题、有效推进医学传播不可或缺的重要手段。

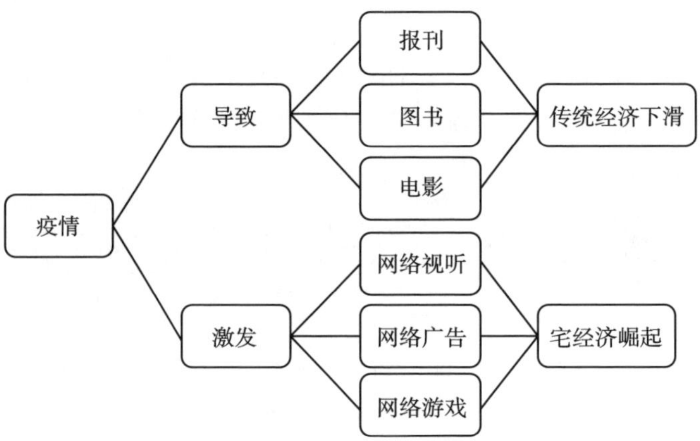

疫情对传媒经济的影响

值得注意的是，在医学与受众之间，媒体的责任不仅是传播知识，更重要的是解决医患关系紧张、居民日常医疗知识匮乏、不健康行为仍存在、遇到紧急医疗状况无法正确处理等问题。由于大众传媒具有时效性，传播范围广、速度快，在信息传播中具有明显优势，自诞生之日起，大众传媒就在健康教育中扮演着重要角色。而通过将医学领域的研究成果转化为大众能够广泛接受的通俗健康知识，并改变大众对健康问题的态度和行为，促进医学知识的传播与国民医学素养的提高，能够达到降低疾病在大众群体中的患病率和死亡率、有效提高社区或国民生活质量和健康水准的目的。因此，无论是对医学知识的普及还是医学相关新闻的传播，大众传媒所承担的角色都是举足轻重的。

医学与政治、经济、社会、教育等各方面有着千丝万缕的联系，大众传媒要满足不同主体的多样化需求。例如，2020 年受疫情影响，在线购药、远程问诊等需求呈爆发式增长，互联网医疗的价值被不断关注。随着互联网技术的快速发展与广泛应用，传媒产业的媒介形态和媒体业态都在不断改变，如今的大众传媒对于各类生产者、经营者来说，承担着包括关系资源积累、品牌传播、产品销售、服务反馈在内的多种功能，已经逐步形成了以网络和数字为基础的传媒新生态系统。医疗企业通过互联网的逻辑、手段对商业进行改造，而这种广泛化的改造促进了整个医学领域的“媒介化”。

如今，医学的新疗法、新病例往往涉及其他许多领域的变化，其中就包括由科技创新推动的媒介形态变革所引起的媒体业态和传媒市场的结构性变化，而媒体业态的变化又将引起整个传媒生态变化，甚至是社会生态的变化。比如，中国医学的发展目前主要依靠政府资金的支持，因此政府需要及时了解医学界的新近情况和需求，才能判断哪些医疗研究项目是急需资助的、哪些项目可以延迟资助；政府需要明确自身决策是否有不妥之处，才能确定出台怎样的医疗与保障政策；乃至医学界有怎样的不良现象、如何避免等，所有这一切都需要媒体及时发现与报道。

在健康中国战略的驱动下，近年来我国居民的健康素养得到了显著提升，健康与疾病防护意识明显增强。随着各类医疗项目的数字内容和服务需求不断增加，国内医疗领域形成了一个巨大的市场，为适应新形势，越来越多的医药企业也启动资源进行“媒介化”改造，许多医疗机构也正借助数据互通互联、可穿戴设备打造线上医疗生态圈。在当前大数据、人工智能、5G、量子计算、区块链等新技术飞速发展的背景下，媒介形态正在经历新一轮的变革，正在重构媒体业态和传媒产业结构。因此，医学传播对公众、政府、世界的影响是无所不在的，其对人类生命观、价值观、世界观的影响也是极为深远的，而大众传媒在医学传播中扮演的角色也越来越重要。

二、大众传媒开展医学传播的现状

报刊、影视、广播、互联网，这 4 种大众传播媒体的依次出现，给人们的生活方式带来了巨大的变化。人们对于包括医学知识在内的各类信息，特别是“非强制性接触议题”的信息获取绝大部分来源于大众传播媒介。而具有一定权威性的官方信息，最主要的传播渠道也是大众媒体。由于不同传播媒介具有不同特点又各有局限，以及受众的不同需求，尽管已进入网络传播时代，但传统媒体（印刷传播和电子传播）仍然在某些领域和地区占有优势。

目前，大众传媒内容正在从“提供生物医学知识”转为“促进行为改变”，通过提高公众自我保健意识和技能，改善公众的健康状况。受到以互联网为载体的新一代信息技术的冲击，大众传媒已经纷纷从纸质向电子媒体转变，公众获取信息的途径也逐渐由传统渠道向各种新兴的互联网渠道转移，于是在从事医学传播与健康教育的大众传媒领域中，呈现出多类媒介共存共融的混合状态。

1. **印刷类媒体**　印刷类媒体是新中国成立至改革开放初期的主要媒体。改革开放后，报纸、杂志和书籍等印刷类媒体得到进一步迅速发展。一直以来，我国居民主要依靠报纸获取有关医学的信息与新闻。无论是当初在“非典”疫情和禽流感疫情发生时，还是自2020年新冠肺炎疫情流行后，传统主流媒体始终是人们了解此类传染疾病的主要渠道，对民众进行传染病预防的宣传教育起到了极其重要的作用。然而，为了应对电脑、手机终端的普及对印刷类媒体带来的巨大冲击，众多过去以报刊为主要载体的传统媒体正艰难转型。这些曾经的印刷类媒体利用优质的医学信息资源和既有的办刊办报经验，正在从纸质向电子媒体转变，增设电子版、开办网站、开通微博、推出手机报及手机杂志，不断尝试媒介融合的探索。

2. **电子类媒体**　电子类媒体包括广播、电视等，是以现代电子技术为传播手段，以声音、画面为传播符号，对新近或正在发生、发现的事实进行报道。利用电子类媒体建设健康传播和服务体系，是我国未来社会服务体系建设中最重要且最具发展前景的领域之一。广播由于自身特点，在大众传媒领域的作用受到很大限制，受众范围较小，但对于一些特殊人群，如司机、边远地区农民、移动端音频用户等，广播则是非常有用的媒介。在“十二五”期间，广播“村村响”是国家推进农村公共文化服务体系建设的一项重要内容。改革开放后，随着人们生活水平提升，电视进入普通公众的家庭生活，确立了较大的传播优势，受众规模大且受众的忠诚度普遍高于其他媒介。这是由于电视媒体内容娱乐性强让人容易接受，对受众教育水平要求不高，因而成为人们获取信息、娱乐消遣的主要媒介。虽然目前已经进入新媒体时代，电视之前的传播优势有所减弱，但对于中老年人群及偏远地区、网络尚未普及的地区人群，电视依然是最受欢迎的大众传媒传播方式。电子类媒体的普及和高速发展，使利用传播为维护和促进人类健康而收集、制作、传递、分享医学信息的过程变得更加便捷和有效。

3. **新媒体**　新媒体作为一种即时传播媒体，打破了地域、时间的限制，能够将重要的健康信息在第一时间以文字、图片、视频等形式及时传播给受众，特别是在重大、突发公共卫生事件发生时快速传播，并及时传播事件对健康的影响以及自身防护所需的健康知识。在新媒介对医学传播渗透更深入、新的信息技术手段与医疗健康方面的公共服务结合更紧密的大趋势下，我国的新媒体企业也有了一些新举措，推动我国的健康服务体系建设。根据艾媒咨询近日发布的数据，2020 年中国移动医疗用户规模达到 6.61 亿人，中国移动医疗市场规模达到 544.7 亿元。在新媒体中，传播主体呈现多元化特征，不仅包括医疗机构、传统媒体、政府部门、科普和医疗网站、疾病防治公益机构、医疗企业等机构主体，还包括专业医务工作者、媒体从业者、政府官员、明星类意见领袖等，其中专业医务工作者成为主力军，其传播信息的质量、数量也相对更高。在人们更关注健康问题和医疗费用攀升的社会背景下，新媒介以其独特的优势介入医疗服务体系，利用新媒介技术实现健康监测和数据传输等服务，已成为当代医学传播的发展趋势，也可作为我国下一步建设医疗服务体系的重要着力点。

4. **应用程序**　随着信息通信技术发展，在新媒介医学传播设备装置日益小巧化和信息传输高速且低价的技术背景下，人们对医学信息的需求发生改变，智能化的医疗健康服务成为未来的重要发展方向。在智能化医疗健康服务中，各类医学健康 APP（应用程序）占主要部分，包括医疗健康类、运动健康类、女性健康类、心理健康类、健康管理类和健康资讯类等。医疗健康服务类 APP 主要以提供各类医学信息与医疗服务为核心功能，如挂号、导诊、药品出售、医生咨询、专业指导等一系列功能，同时配有相关社交、激励等附加功能，以增加用户黏性。不同类型的应用程序由于内容及投资方不同，下载量及使用量有很大差别，只有少数 APP 有较大下载量。但在各类应用市场竞争下的医学传播，必将促使相关的电子传感器、信息处理器、手机等移动便携终端产业开发新的市场，同时带动相应的医疗和健康服务机构与新媒介产业的合作发展，借助于这种形式进行的医学传播实践具有便携性、信息数字化和网络传输等优势，恰可为医学传播与医疗服务基础设施体系架构提供一种新的媒介支撑。

5. **媒体融合**　随着对新媒体认知的逐步深化以及媒介技术的快速更新，

媒体融合已成为全球传媒领域发展的趋势。媒体融合的关键要义在于，借助不同媒介优势资源的重组与整合，推动传统媒体与新兴媒体之间的相互作用，实现双向融合。由于新媒介和新的信息传输技术本身所具有的优势，其在健康传播中的新组合与新应用还将缓和我国医疗健康服务的地域差距和群体阶层差异，缓和当前老龄化、生活习惯病增加和医疗费用高涨等社会问题。在我国当前的应急传播体系中，国家应急广播网、手机应急网、手机客户端、微信公众平台、微博五大媒体平台已经基本建成，从而提高医疗和健康行业的信息化，提升医疗服务的效率、质量、降低成本。在突发事件中，应急网络中的各平台即时推出专题，跟踪事件进展，并结合新闻内容，在显著位置配发有关地震、火灾等灾害，以及次生灾害应急逃生的科普稿件和视频，采用“新闻 + 科普”的形式，实现全方位和全人群覆盖。

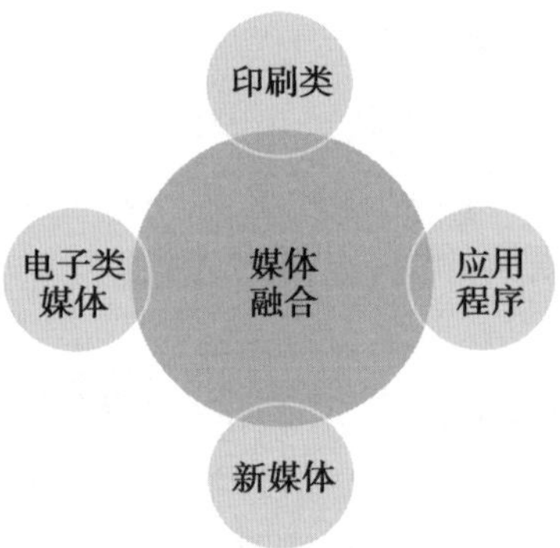

从事医学传播与健康教育的大众传媒领域中呈多类媒介共存共融的混合状态

三、医学传播中大众传媒发展面临的问题和挑战

在我国加快建设公共服务体系的过程中，医疗、健康服务体系的建设成为目前备受关注的领域。老龄化、城乡人口流动加剧、医疗费用高涨等问题都对公共服务体系的建设与国民医学素养水平的提升提出了更高的要求，而大众传媒在这一领域的新应用似乎为未来的可能性突破提供了一条新的思路。但与此同时，在医学传播领域，大众传媒发展仍然面临着政府与专业机构的引导力不足、主流媒体的能力缺失与功能缺位、缺少对流言及虚假信息的有效监管、缺乏对大众传媒医学传播效果的研究等问题和挑战。

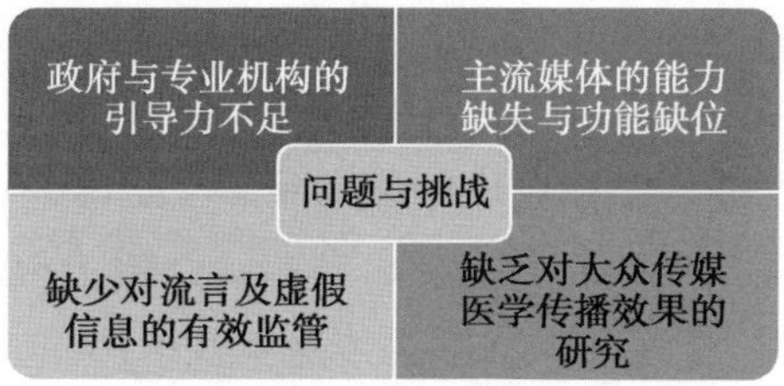

大众传媒发展面临的问题和挑战

（一）政府与专业机构的引导力不足

政府和不同级别的专业机构存在着提供主体少、信息量不足、形式单一、对新技术的应用不足等问题。从当前世界范围的医疗服务体系建设和新技术趋势来看，新媒介技术为医学传播提供了巨大的发展空间。但另一方面，医学传播也出现了新的问题。例如，在社会媒体日益发达的情况下，政府和专业机构在健康信息传播中并没有有效发挥权威信息源的作用。

如今，热点事件的舆论生成已不再是单一的中心发散式传播或一般性的串联型传播，而是新媒体与传统媒体、新媒体与新媒体之间的交融互动，它们能以最快速度实现最大范围的扩散，迅速形成公共事件。当前政府和专业机构虽然建立有网站、微博、微信公众号以及应用程序，但利用大众传媒进行健康信息传播的主导作用明显不足。这些问题的存在，使得政府主导健康教育的作用逐渐减弱，专业机构在医学传播上的权威性、专业性、公信力等优势难以发挥。

（二）主流媒体的能力缺失与功能缺位

随着技术手段的飞速发展，传播生态和受众阅读新闻、接受信息的方式发生了颠覆式的改变。然而，在我国大多有着事业单位身份的主流媒体，在新闻生产方式和表达方式方面转型稍慢，其以往相对于市场化媒体、新媒体的优势已逐渐丧失，反而因为管理的体制机制上的一些羁绊而难以适应分众化、差异化的传播趋势。甚至有一些主流媒体急功近利，碍于收视率以及经济效益的要求，而不愿提供有效但不能迅速带来经济收益的栏目。

互联网赋权改变了社会舆论场的生态格局，有时会割裂成官方与民间两个舆论场，这时就需要主流媒体及时有效地沟通引导。但是在民间舆论“倒逼”“越位”等现象的冲击下，一些主流媒体存在语言生硬、形式呆板等问题，非但没有彰显其纠偏和引导能力，反而因为其板起面孔来教育受众而让受众产生抵触和逆反情绪。此外，部分媒体从业人员的医学专业素养不足，也使其无法对有关医学信息的科学性做出正确判断。于是许多大众传媒内容的创新或改版只是凭借感性认识，盲目挖掘社会热点，乃至于形成一股“戏说养生之道”这种泛娱乐化的不良风气。在医学传播实践中，主流媒体社会公器角色的缺失和媒体“把关人”作用的缺位，将使其难以形成有效的舆论引导格局，也不利于健康知识的进一步传播、普及。

（三）缺少对流言及虚假信息的有效监管

卫生健康行业专业性强、涉及面广，公众难以看懂较为枯燥、晦涩的医学知识，因此，有关医学信息的谣言很具有迷惑性。在新媒体时代，人人都能成为传播主体，披露信息、发表意见、传达观点、传递态度，这样每个受众都可能成为信息辐射源。于是，很多不具备专业知识的公众在信息未经核实的情况下也能随意转发，表达混淆视听的错误观点，导致不实甚至是有害健康的伪医学信息大量存在，带来更大范围的危害。

大众传媒在医学传播领域的应用更加广泛和深具渗透性，国内的一些媒体机构也开始关注医疗健康服务体系的广阔市场，开始投入开发新型的医疗相关服务产品，其中部分企业、医疗机构及医务人员出于利益目的，利用网站、自媒体等发布虚假信息，进行虚假宣传。近些年，规范信息传播的法律法规政策不少，但缺乏针对不同类型大众传媒传播医学信息的有效管控机制，也缺乏对各类媒体发布医学信息的审核监督机制。在当前的大众传媒医学传播实践中，缺乏专业化的政府监管队伍与第三方机构，监管能力跟不上信息化发展要求，监管部门之间也缺乏有效协作，无法对社会流传的各种谣言进行及时遏制。

（四）缺乏对大众传媒医学传播效果的研究

美国是世界上最早开展现代健康传播理论和实践研究的国家，已衍生出偏重以媒介和大众传播为主要手段进行健康知识传播的“健康促进”和以人际传播为主要手段侧重医患沟通的“健康服务”两大分支领域。我国则限于学科起源晚、缺乏研究方法、缺少跨学科合作等原因，目前借助现代传媒开展健康促进工作的主要参与力量多为医学和卫生专业的人员，传播学者缺席情况相对明显。在研究方案的设计和实施上，主要围绕健康促进领域的行为控制理论来进行，缺乏对信息本身和传播手段的科学认知。反观对大众传媒效果的研究，大多是从新闻学或传播学视角出发，主要涉及大众传媒中健康信息的形式、内容和技巧，从新闻业务角度研究健康类节目或社会议题的现状及未来发展问题。可以看出，在医学传播的现有研究中，“医学”与“传播”存在明显的割裂。

当前，借助大众传媒开展医学传播的研究模式仍然是“以美国为主导、欧美为主体”。按照哈罗德·拉斯韦尔（H.D.Lasswell）提出的经典“5W 模式”，传播过程包括传播者、信息、媒介、受众和效果 5 个部分。但是国内既有的研究多服务于大众传媒的内容生产方，鲜有从受众对健康信息的需求、对媒体提供方式的评价角度出发的研究，对大众传媒进行医学传播实践后的传播效果（如医学知识是否得到提高、医疗行为是否得到改善、医学素养是否得到提高等）的探讨也相对缺乏，这对提升公众医学素养水平的作用并不理想。

四、推动医学传播中大众传媒应用的相关建议

针对医学传播中大众传媒应用当前存在的问题和未来挑战，以及我国目前的公众健康素养水平，提出如下建议。

（一）将医学大众传播作为医疗卫生服务体系建设的着力点

政府应加大对医学传播和医学教育的相关投入，改善医学知识科普的内容和传播形式。由国家卫生健康委牵头，成立由多元主体参与的国家健康信息与支持服务网络，公共卫生相关部门应在既有网站、微博、微信公众号以及应用程序基础上，进一步做好医学信息的常态化传播，充分发挥好权威信息源的作用，并根据医疗环境变化定期选取与公众健康息息相关且具有科学性的话题，增强健康医学传播内容的可读性，充分吸引公众注意力。通过上述综合措施构建，力争完善国家公共卫生服务体系中基础设施建设，提高主流媒体在医学传播领域的信息供给质量，使其成为公众获取医学信息的首要渠道。

（二）主流媒体应该充分发挥好专业机构和权威专家团队的作用

对于谣言等不实信息、具有争议性的医学话题，需要依靠具有专业医疗知识的专家、医疗工作者等意见领袖或政府相关部门、媒体平台主动发声，积极设置和引导相关议题的传播主流媒体，在第一时间更新医学领域动态、发布权

威信息。医学领域专家在医学知识传播过程中扮演着“把关人”的角色，是受众获取正确医学知识以及纠正不实信息的重要渠道。应针对医疗专业人员动力和传播技能不足，以及业务繁忙不能有较多时间投入医学科普和医疗健康教育工作的问题，有针对性地出台激励措施；建立长效机制和应急措施，搭建与各种媒体和公众共同参与的对话与交流平台，积极鼓励权威医疗机构及专业医疗工作者利用多种媒介进行健康科普宣传，强化对热点健康相关事件的舆论引导，净化大众传媒环境。

（三）政府相关部门应加强对医学信息传播行为的监管

医学传播是面向社会所有居民提供的准公共产品。在信息海量化、碎片化的信息爆炸时代，普通公众进行信息生产与传播的难度大大降低，但过多、过乱的信息也增加了公众辨别信息真伪的难度，使得信息的有效性大大降低。在医学传播这一领域，政府的监管尤其不可缺失。主流媒体负责在纷繁庞杂铺天盖地的资讯中及时报道真实、准确的权威信息，而政府监管部门则要为这些信息保驾护航。未来推动医学传播中大众传媒良性发展的首要措施，需要包括网信办、卫生行政部门、专业性技术部门在内的政府部门，切实履行自己的职责，加强对媒体、社会团体的技术支持和信息监管，使其在医学传播网络中发挥好协同作用。

（四）媒体工作者与普通公众都应积极提高自身医学素养

在媒体已经成为人们获取医学信息、技能重要平台的背景下，公众能否有效地使用和解读医学信息，主要取决于媒体的医学素养水平。一方面，媒体应主动“把关”，对发布、转发、评论的内容肩负起“自查自纠”的职责，建立自身对发布内容的审核机制，提高对信息的甄别能力和批判能力，确保推送信息的科学性和专业性。另一方面，公众也要提升自身的医学素养水平，一是在知识层面掌握基本的健康知识和技能；二是在能力层面提高获取、理解、甄别、应用健康信息的能力。尤其是在应对突发公共卫生事件时，媒体应该关注舆情，引导公众对信息进行正确判断，从而达到提高公众医学知识水平、养成科学健康生活方式的目的。

（五）大众传媒各平台应做好医学信息的精准传播

互联网所塑造的信息环境发生了巨大变化，为公众学习医学知识与了解医学信息提供了比以往更多的新途径、新模式，使大众传媒各平台用户拥有了更大的选择权和自主权。随着信息受众需求日渐多元，公众不再是单纯被动地接收信息，而是根据自身需求分重点、有选择地主动摄取信息。不同人群对于传播方式和内容的选择、理解有所不同，便需要实施基于人群特征的精准传播。同时应分周期对各类人群的传播效果进行综合测评，通过广泛了解其需求及其满足程度，查找大众传媒体系需要完善的内容和资源。大众传媒各平台只有针对性地进行整体设计，才能最大化满足需求，提升各类人群的医学素养。与此同时，大众传媒业需要根据疾病发生发展的不同阶段（稳定期、突发事件等）来选择不同的媒介形式以及受众可接受的传播形式。在面对突发公共卫生事件时，迅速且准确地向公众提供知晓、预防突发公共卫生事件的途径和现实举措。

课后习题

1. 请简述大众传媒的发展过程及其在医学传播中的作用。
2. 请谈谈你对大众传媒进行医学传播实践现状的认识。
3. 请分析医学传播中大众传媒发展面临的主要问题和挑战。
4. 对于目前我国大众传媒进行医学传播实践的现状，请任选角度提出两点建议。

参考文献

[1] 梁琪，莫扬. 中国报纸健康传播特点研究——对 6 家主流报纸健康新闻的内容监测分析 [J]. 医学信息学杂志，2007, 28 (6): 561-564.

[2] 李有强. 从大众传媒到社交媒体：美国借助现代传媒开展健康促进的发展动向与启示 [J]. 体育科学，2017, 37 (6): 52-61.

[3] 史宇晖，冯文猛，常春，等. 我国健康教育中大众媒体的应用进展及建议 [J]. 中国健康教育，2020, 36 (3): 255-258.

[4] 杨圣荣. 健康传播视野下新公共媒体糖尿病报道的议题呈现 [J]. 新媒体研究，2019, 5 (18): 20-24.

[5] 徐锦杭. 电视媒体健康传播研究 [D]. 浙江大学，2007.

[6] 侯海萍，郭玉芝，刘春桃，等. QQ 群健康教育对糖尿病患者遵医行为的影响 [J]. 中华现代护理杂志，2010, 23 (7): 801-802.

［7］袁东登，乐嘉宜，郁敏杰，等．“微信公众号”在社区糖尿病管理中的应用效果研究 [J]. 中国全科医学，2018, 21 (19): 2353-2356.

［8］黄力力．以新浪微博为平台的健康传播研究 [D]. 内蒙古大学，2014.

［9］徐倩．基于 IOS 系统的戒烟类移动应用程序研究 [D]. 重庆医科大学，2014.

［10］李静静．糖尿病健康管理 APP 设计研究 [D]. 西南交通大学，2016.

［11］李雅婷，基于社交媒体平台的健康传播 [J]. 新媒体研究，2019, 5 (20): 18-20.

［12］陈森，张一婷，李甲森，等．预防 H7N9 禽流感相关微博的传播者及传播内容研究 [J]. 中国健康教育，2015, 31 (8): 735-737, 746.

［13］钟晓书，魏超，美国健康传播研究回顾 [J], 中国健康教育，2010, 21 (1): 46-50.

［14］韩纲．传播学者的缺席：中国大陆健康传播研究十二年——一种历史视角 [J]. 新闻与传播研究，2004, 26 (1): 64-70.

［15］李有强．从大众传媒到社交媒体：美国借助现代传媒开展健康促进的发展动向与启示 [J]. 体育科学，2017, 37 (6): 52-61.

［16］陈启涵．卫生视野下的健康传播研究特征——以《中国健康教育》《健康教育与健康促进》收录的论文为例 [J]. 新闻传播，2019, 26 (18): 6-8.

［17］王积龙．健康传播在国际学界研究的格局、路径、理论与趋势 [J]. 上海交通大学学报（哲学社会科学版），2011, 19 (1): 51-58.

［18］王秀丽，赵雯雯，袁天添．社会化媒体效果测量与评估指标研究综述 [J]. 国际新闻界，2017, 39 (4): 6-24.

［19］唐绪军，主编．中国新媒体发展报告 (2016)[R]. 北京：社会科学文献出版社，2017.

［20］余清楚，主编．中国移动互联网发展报告 (2017)[R]. 北京：社会科学文献出版社，2017.

［21］新华社．中共中央国务院印发《“健康中国 2030”规划纲要》[EB/OL].(2016-10-25)[2022-5-20] http://www. gov. cn/zhengce/2016-10/25/content_5124174. htm.

［22］国家卫生健康委员会．2030 可持续发展中的健康促进上海宣言 [EB/OL].(2016-11-21)[2022-5-20]. http://www. nhc. gov. cn/xcs/hyzl/201611/af0f2620a4a74e9d9e5dc90aebdcbbd6. shtml.

［23］中国社会科学院新闻与传播研究所、社会科学文献出版社．《传媒蓝皮书：中国传媒产业发展报告 (2021)》[EB/OL].(2021-8-23)[2022-5-20]. http://www. 199it. com/archives/1279606. html.

第十三章　社交媒体医学传播实践

课程要求

1. 了解社交媒体环境下医学传播的现状及其特点。
2. 试从传播学的角度，分析社交媒体给医学传播带来的机遇。
3. 分析医学传播中社交媒体传播所具有的局限性。
4. 尝试提出构建社交媒体医学传播良好生态环境的建议。

一、社交媒体环境下医学传播的特点与机遇

进入以网络平台、社交应用软件为主要传播方式的网络传播时代，医学传播的范围、形式以及速度等都发生了质的改变。在第九届全球健康促进大会上发表的《2030 可持续发展中的健康促进上海宣言》曾郑重承诺，要充分利用社会创新和交互式技术，要通过发挥数字技术的潜力，要增强公民对自身健康及健康决定因素的控制。如今，通过社交媒体向受众传递医学信息，不仅突破了地域的限制，展现了医学传播在网络上的快捷性、交互性等优势，而且丰富了医学传播的内容，加强了现有的传播活动在信息共享、答疑解难、私人订制、增强心理归属感、参与议题设置、构建修正机制等方面的效果，这些都为未来医学传播范围扩大化提供了新的机遇。

然而，在社交媒体环境下，虚假冗余信息混杂、把关机制缺失等因素也使医学传播面临着众多新的挑战，健康营销、恐惧诉求、煽情语言、极端化表达等问题值得重视。从长远来看，在政府打造“健康中国”的大背景下，社交媒体下的医学传播仍需各方改善媒介生态环境，提高传播内容的质量与传播方式

的效率，才能进一步提升大众的医学素养，促进全民的健康发展。

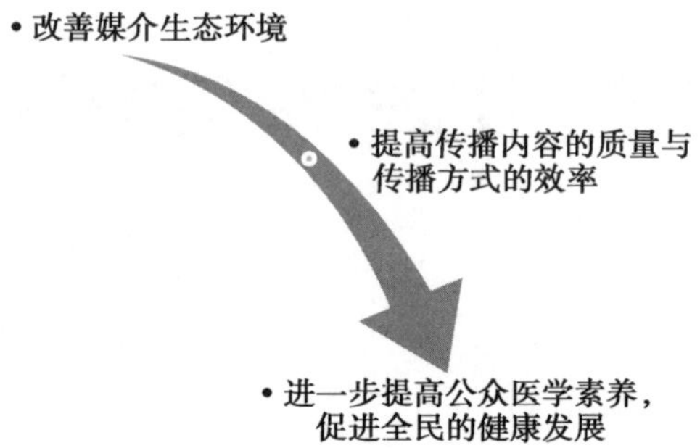

社交媒体环境下医学传播的特点与机遇

（一）社交媒体环境下医学传播的特点

长期以来，人们对于各类公共信息特别是医学信息的获取，绝大部分依赖于报纸、杂志、广播、电视、门户网站等大众传播媒介。但是随着互联网的迅猛发展，社交媒体凭借其特殊优势迅速发展成为新媒体中的典型代表。虽然中外学界目前对于社交媒体的界定尚未统一，但基本涵盖 3 个特征：基于网络技术与意识形态的应用或平台；提供用户之间的连接，并公开呈现这些连接；用户独立或协作式生产、分享以及扩散其他用户可见的内容。相较于以往的大众传媒，社交媒体所具有的“去中心化”平等开放属性更有助于用户进行自我表达、社会分享、参与互动。

随着社交媒体在医学传播领域日益占据重要地位，医学传播实践也在社交媒体特殊的对话情境下呈现出新的传播特点。

1. 主体多元化　传播者处于信息传播链条的首端，担任着信息的收集、加工和传递的任务，对信息的内容、质量与流向起着重要的控制作用。在社交媒体的医学传播实践中，传播主体呈现多元化特征，从原来特定机构、特定人群转向了多元化和平等化。传播主体不仅包括医疗机构、传统媒体、政府部门、科普和医疗网站、疾病防治公益机构、医疗企业等机构主体，还包括专业医务工作者、媒体从业者、政府官员、明星类意见领袖等个人。专业医务工作者依然是社交媒体医学传播的主力军，其传播信息的质量、数量也相对高，与此同时，用户可以实时参与到讨论中或者随时随地得到医学信息，互动性的增强使医学传播能够更快更高效地渗透到用户中去。例如，现在有许多即时看病的公众号、APP 在大规模地发展，在这些实时寻医问诊平台上用户在短时间内就能够得到答复。医务工作者和权威医疗卫生机构的加入，更是让这些互动性强的社交媒体平台对提高公众健康素养、倡导疾病预防和行为干预起到积极作用。

2. **内容碎片化**　疾病或健康不只是生物学的概念，医疗不应简单地被理解为调整我们的“身体”，而应着力于完善生物、心理、社会和精神健康的完整状态。社交媒体为医学传播提供了一类新的平台，使信息和知识、社会的与情感的支持都可以借助社交网络得到更迅速地扩散。随着越来越多的人通过社交媒体来接收医学信息，健康传播的“中心”——公共卫生服务机构、主流媒体、医院等组织也将信息零散化，以更多的方式进行传播。社交媒体上的医学传播内容涉及健康知识（生理保健、心理情感、疾病常识、就医用药和饮食营养）、日常工作、医疗现状、医疗政策等。由于受众接受的内容是碎片化的，这种碎片化的阅读时间以及碎片化的阅读内容，让受众更容易接受医学知识，短视频、段子以及短小精悍的文章，也能使受众更好地接受并能够更准确地应用这些医学知识，这种人文关怀是预防、治疗和教育的一个重要部分。但是须知，通过此种渠道接收的医学知识是不系统的，还需要具有权威性公信力的部门系统整合发布，使医学领域的人文知识与科技知识在社交媒体平台实现更加充分的融合，才能促进医学传播效果的达成。

3. **传播形式多样化**　社交媒体既包括各种类型的社交网站，亦包括基于移动网络的社交应用程序，以及当前许多网站与移动应用兼容的传播平台。如今社交媒体在医学传播的实践中也是信息化的，每天成千上万的热点新闻、热点话题通过微博、微信、短视频、直播等平台实时更新，各种段子、精美图片、搞笑动态图、短视频、直播等多元化的内容更是层出不穷。依托于互联网的海量存储技术和即时互动优势，线上媒体已成为人们接触和搜寻医学等各类专业信息的重要渠道。同时，不同平台可以根据专业领域制定符合用户需求与特征的具体传播方式和计划，用户也可以从海量信息中有针对性地选择所需内容或服务，这种“私人订制”式的传播方式让社交媒体医学传播为受众提供了更加个性化的服务。随着人们对医药电商、互联网医疗等平台的使用需求进一步提升，社交媒体也将成为解决重大卫生问题、有效推进医学传播不可或缺的重要手段。

4. **用户需求个性化**　传统媒体是无差别传播，大众所接收的任何信息都是相通的、没有差别的，然而医学传播在社交媒体的环境下能够实现真正满足用户个性化需求。社交媒体时代在一定程度上消解了编辑、媒体等传统把关人的中介影响，释放了公众的信息发布自由和热情，随着新媒体的不断出现，以及各种功能不断完善提高，受众因其不同的需求将对内容的选择更加有针对性。例如，现在微博和微信基本能够实现个性化定制服务，以广州中医院的微信公众账号为例，患者能够准确知道应去哪个科室就诊，能够有效省时地查询自己的病情以及检查结果。同时，社交媒体上留下的大量行为数据有助于对公共健康信息的实时监测，使利用新媒介为维护和促进人类健康而收集、制作、传递、分享健康信息的过程变得更加便捷和有效。例如，中国城市化进程的加剧和城乡流动人口的持续攀升，留守老人成为严重的社会问题。无论是城市的空巢老人，还是农村的留守老人，在无人看护的情况下去世，这本身也是一大悲剧。若是能够利用家庭健康服务系统对老年人的健康状况进行随时的监控，便可以在很大程度上减少这种悲剧的发生。

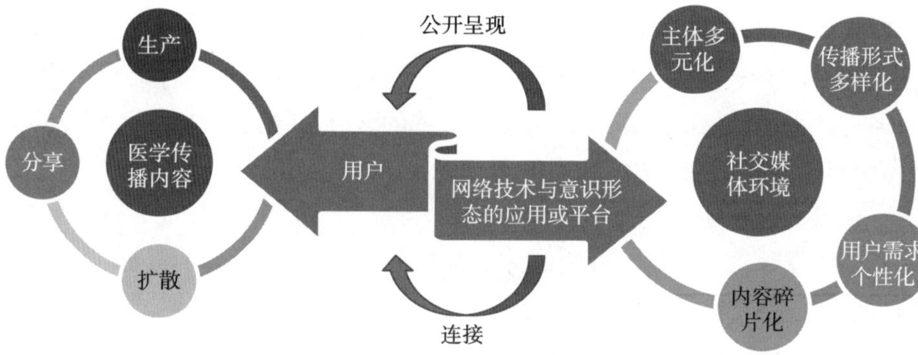

社交媒体环境下医学传播的特点

（二）社交媒体给医学传播带来的机遇

而社交媒体兼具网络社会平等、开放和互动的特性，以及人际传播的感情色彩，因而将人们带入“各种沟通模式整合入一个互动式的网络中”。在社交媒体中，每个人既是信息传播的受众，也是信息传播者。这无疑给医学传播带来新的机遇：一方面，社交媒体更有助于传播对象可以进行自我表达、社会分享并参与到医学传播过程中；另一方面，传播主体可以通过互动与受众建立情感信任关系，有助于公众增进认知和行为改变，更加有助于传播主体进行快速、有效和人性化的医学传播。

1. 从单向传播到双向、多向的传播模式 传统媒体和受众之间是单向传播的，并且需要固定的时间、固定的地方才能接收健康信息；接收了健康信息之后反馈性不强，即使能够得到有效的反馈，时效性也得不到保障。社交媒体的出现，在一定程度上消解了媒体、编辑等传统把关人的中介，使接收医学传播信息受众的互动性和参与性增强，释放了公众信息发布的自由和热情。利用新媒体的平台实现互动，是提高医学传播效率的有效途径，公众的内容生产与分享可能促生更复杂、更多元的医学话语网络。在社交媒体环境下的健康传播不同于传统媒体，它可以实时地将图文、声音甚至视频聚集在一起形成“现场直播”，这比传统媒体的传播更加及时，并且可大大降低成本，时效性也得到增强。

2. 从“教育”到“对话”的话语转变 德国研究者马丁·埃森得(Martin Essend)主导了一项关于互联网对科学传播的影响的实证研究后推断，互联网会打破传统的信息传播模式，并且从互补的角色转化为主导的角色。与Web1.0时代相比，社交媒体提供了组织(特别是非营利组织)与公众更直接对话的机会和方式，无论是个人博客还是微信公众号、短视频平台，都提供了与以往单向传播不同的双向互动方式。医学信息借助社交网络得以更迅速地扩散，以公共卫生服务机构、医院与传统主流媒体为代表的医学传播“中心组织”可以与目标公众进行更直接的对话。但信息总量的急剧增加、言说机会的更加平等以及“去中心化”的文化特征，也使高度倚重专业权威的健康传播在社交媒体时代面临诸多挑战。

3. 从交流互动到社群导向的人际网络 在社交媒体打造的网络社区中，医学传播主体与用户进行内容交互所生产的关于某一医疗知识的介绍及医疗难题的解答等内容往往构成了医学传播的主要内容。但通常传播主体不仅借助社交媒体集图片、视频、文本和传统内容融合处理于一体的独特功能，发布医学相关的医疗知识和生活常识，还需要经常与粉丝互动交流，赢取公众的信任。不仅传播者可以自建粉丝群展开互动，粉丝也能就共同话题自建粉丝群私信群聊。这种基于“三观相同”建立起来的网络社会关系，通过人际传播的互动模式交流健康信息，不仅增加了用户黏性，提供情感支持，使用户寻找到心理归属感，更重要的是使用户能够有机会和专业医疗工作者一同探讨观点，及时得到专业有效的指导，具有较强的真实性、贴近性和教育性。

4. 从自动修正到议题设置的维护机制 海量的信息对普通公众可能意味着超出了他们把控的能力范围，公众需要自己去辨别那些甚至关乎生命安全的健康知识(或信息)的价值与真伪。当社交媒体中出现不实信息(谣言等)

和其他危害他人利益、社会公共利益的信息时，社交媒体可以通过用户生产内容的互相补充、纠错、印证和延伸的结构性关系，自发地接近事实真相，用户的集体智慧将有效地维持社交媒体的健康运转，使其具有一种“自净功能”。但是医学传播属于科学传播范畴，对于谣言等不实信息、具有争议性的医学话题，主要还是需要依靠具有专业医疗知识的专家、医疗工作者等意见领袖，或政府、权威媒体机构于社交媒体主动引导健康议题的传播，通过权威信息源对虚假信息及时甄别、纠错、修正及二次传播，引导舆论走向，增强医学教育和健康干预的效果。

二、社交媒体在医学传播方面的局限性

当前，社交媒体在医学传播方面的局限性主要表现为以下几个方面：①受众年龄断层问题；②信息超载与信息可信度问题；③社交媒体用户的隐私问题；④可能出现负面引导行为的问题；⑤社交媒体对患者寻求专业医疗救治的阻滞问题；⑥医疗卫生机构并未充分利用社交媒体与患者和公众进行有效沟通的问题。

（一）社交媒体医学传播受众出现年龄断层

受到网络终端及设备的影响，随着新媒体的兴起，传统媒体在一定程度上受到了限制。同时由于年轻一代的成长伴随着互联网的发展，社交媒体的用户也以年轻人居多。但是由于地域条件、经济条件以及个人能力条件的限制，很多需要医学知识的受众不能及时获得相关的信息。根据中国互联网络信息中心第 47 次调查报告，截至 2020 年 12 月，20~29 岁、30~39 岁、40~49 岁网民占比分别为 17.8%，20.5% 和 18.8%，高于其他年龄段群体；在我国网民群体中，学生最多，占比为 21.0%。但是从对医学知识的需求来看，55 岁以上的中老年人的心理、生理的健康问题更多，对得到医学信息更加迫切，尽管 50 岁及以上网民群体占比由 2020 年 3 月的 16.9% 提升至 26.3%，互联网进一步向中老年群体渗透，但这一群体对社交媒体的使用率仍处于较低水平。大部分情况下受各种条件的限制老年群体不能够接收到有用信息，使得社交媒体用户与迫切需要医学传播的受众在年龄上出现了断层。在未来发展中，这是亟待解决的问题，也是医学传播扩大化、“健康中国”理念的普及化面临的巨大挑战。

（二）社交媒体虚假过载信息削弱医学传播效果

在社交媒体时代，各种各样的自媒体涌现出来，医学信息的传播越来越丰富，无论什么样的平台、机构，都可以发布有关信息。在受众接受海量信息的同时，很多不良商家媒体乘虚而入，发布虚假、不良信息误导受众，有些信息甚至危害健康，例如在微信朋友圈疯传的“面包店的肉松都是棉花做的”，以及“粗粮饼干、全麦面包、速溶燕麦都是最健康的食物”等。再如微信平台中一些打着医学健康标签的自媒体订阅号，虽然关注的人数非常多，但是订阅号的内容并非原创，其信息来源大多是从网络摘抄的各类养生文，而且大多都是标题党，除了吸引眼球没有任何作用。这些医学传播乱象，一方面说明了社交媒体的把关机制弱化，相关职能部门缺乏对社交媒体环境下医学传播的有效监管，信息缺乏“把关人”，导致不良信息在群体中传播；另一方面，社交媒体匿名性与开放性削弱了传播者应负的社会责任与义务，用户素质的高低有别也造成了健康传播声音的无序化与复杂性。大量没有相关专业医疗资质的用户通过信息的随意裁剪、简单复制就增强了负面信息的社会影响力，各种未经科学证实的虚假以及同质化医学信息泛滥，严重影响科学信息传播的质量，信息过载的结果也可能导致自媒体用户注意力分散和选择困难，传播效果被进一步削弱。

（三）社交媒体医学传播的隐私泄露问题

根据全球网络指数的数据，中国 2019 年每人每天平均花在社交媒体上的时间为 139 分钟，当微博、微信等社交媒体已经成为日常，隐私泄露问题更易被忽略。2020 年 7 月 30 日，北京互联网法院判决微信读书和抖音存在个人信息侵权。微信读书在用户毫不知情的情况下自动关注微信好友、默认开放读书记录；而抖音用户在使用除本人外无其他联系人的手机号码注册登录抖音后，被推荐大量“可能认识的人”，其中包括多年未联系的同学、朋友。文森特·莫斯可（Vincent Mosco）在《数字化崇拜》中说，当技术发展到不被我们察觉的时候，往往是它对我们影响最大的时候。2020 年 9 月，中国互联网络信息中心发布的第 46 次《中国互联网络发展状况统计报告》显示，截至 2020 年 6 月，我国网民规模达 9.4 亿，其中超 20% 网民个人信息遭到过泄露。尤其是随着新冠肺炎疫情迅速在全球蔓延，我国极其重视疫情信息的公开，对确诊患者、疑似患者、密切接触者等人员的个人信息都会进行收集和整理，并通过相应渠道向社会发布，以缓解公众恐慌，同时提醒公众做好防护措施。这些举措在此次疫情防控中发挥了重要作用，然而，随着疫情信息的不断公开，个人隐私被泄露的风险也随之增高。这次疫情防控工作开始以后，公民个人信息泄露事件频繁发生。一些人在确诊新冠肺炎后披露的个人信息，引来网友们的谩骂和人身攻击，让我们不得不思考疫情防控下信息公开与公民个人隐私保护之间存在的问题。

（四）社交媒体医学传播的商业意图与恐惧泛滥

在社交媒体的环境下，任何知识的传播都加快了进程，特别是医学健康知识。现在大多数人开始关注医疗问题、关注健康养生，也正因为如此，有些以营利为目的的非正规机构、自媒体开始传播所谓的医学知识，而目的是赚取更多的钱财。大部分健康风险信息是利用人的“恐惧诉求”来达到目的的，即用唤起恐惧的劝服信息以使人们服从，这是在健康传播运动中最为广泛应用的说服性信息。在社交媒体医学传播中，最常见的表现手法就是通过语言描述和图片展示。虽然这些表达方式对于吸引用户眼球、产生大量转发评论起到一定作用，但是过于依赖恐惧诉求，使用煽情化语言，不乏“夸大其实”的“炒作”用心，容易影响医学传播内容的真实性和客观性，过度的恐惧诉求反而会对传播效果造成干扰，不仅不利于提升公众的医学素养，还可能引起受众的焦虑情绪，进而对一些缺乏医学素养的用户产生负面引导。这类借助恐惧诉求实现商业目的的医学信息在社交媒体广泛传播，往往比科学有效的医学信息更易受到关注，对公众产生误导，甚至抹黑整个医学传播队伍的群体形象。

（五）社交媒体可能阻碍患者寻求专业医疗救治

伴随国家医疗体制市场化，居民就医习惯的转变及 5G、硬件技术的突破与加持，“互联网 +”医疗的市场规模将持续增长。据统计，2020 年中国互联网医疗市场规模为 408.9 亿元，同比上涨 50.5%，预计到 2023 年市场规模将达到 876.1 亿元。随之而来的是，以盈利为目的的医学传播将大幅增加。实际上，商业营销在医学传播中一直存在，但如今社交媒体更为这种“伪专家”和“伪医学”的自我营销提供了新的载体。不少所谓的“养生专家”声名鹊起，吸引大量粉丝，很多“三甲”医院治不好的病，通过他们的“神丹妙药”可以医好；明明治不好的病，在他们的夸大其词的虚假医疗、保健食品广告中统统都能治好。如果用户身患重大疾病，但却因社交媒体上的信息误导而未寻求专业的医学救治，那么被虚假医学信息蛊惑、骗取钱财还是小事，耽误病情、影响身体健康才是关键，这不仅会给个人和家庭带来痛苦和沉重负担，也严重危害公共安全，因此避免公众被社交媒体误导，通过正确的医学传播引导患者早期识别与规范治疗非常重要。

（六）专业机构未充分利用社交媒体与患者进行有效沟通

虽然社交媒体为健康传播提供了一类新的平台，使以公共卫生服务机构、医院与传统主流媒体为代表的健康传播“中心组织”可以与目标公众进行更直接的对话，但实际上，这些医学传播主体可能并未充分利用社交媒体与患者和公众进行有效沟通。一方面，是由于专业背景的差异以及自身繁重的医务工作，许多从事科普工作的医务人员在如何进行有效科普上遇到了严峻的挑战；另一方面，在于社交媒体的传播环境本身。传媒学者詹姆斯·斯托纳（James Stoner）发现，在群体讨论时有可能出现“群体极化”现象。社交媒体上的群体极化，表现在对某些问题讨论时的极化表达。在社交媒体医学传播领域，对于一些存在争议的话题，比如转基因等，争议的焦点常常在于传播者是否具有相关的专业知识，以及是否客观理性，当意见领袖各执一词，受众各自抱团对抗、相互诋毁、出现极化表达时，即使专业机构与官方媒体出面引导，也容易成为被攻击的对象。这样反而使得真正有关大众的医学信息发布得不到关注，影响社交媒体医学传播的效果。

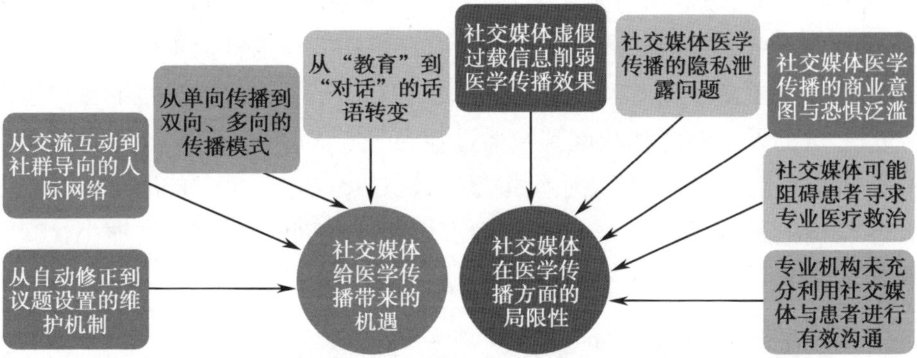

社交媒体给医学传播带来的机遇与社交媒体在医学传播方面的局限性

三、构建医学传播社交媒体良好环境的建议

医学传播借助社交媒体的力量已是必然趋势，但无论是传统媒体还是新媒体，对于医学传播的要求仍然是普及医学知识、传播医学意识、提高医学素养以及提升健康水平。在认识清楚社交媒体环境下医学传播发展所面临的机遇与挑战后，我们更应意识到构建医学传播中社交媒体良好环境的重要性与必要性。应该制订有针对性的措施，从政府、媒介、个人等多个方面共同提升医学传播实践的有效性，使对民众生命健康起到关键作用的医学知识的科普和传播真正起到应有的作用。

（一）政府部门联合专业机构加强对社交媒体环境秩序的监管

应当积极发挥政府主导作用，只有在可信、专业的媒介生态环境基础之上，社交媒体才可能向大众提供正确、权威的医学信息和知识。针对在社交媒体环境下医学传播面临的挑战，政府及相关职能部门应制订严格的法律法规，维护社交媒体的环境秩序，要充分履行监管职责。

首先，应建立相关的规章制度与行业标准，并针对新形势研究制订医学类媒体的开设标准和监督机制，同时加大对医学类公众号、APP、网站的监管力度，以及对医学类媒体发布内容的审核力度，不定期地对信息进行审查，打击并关闭不良媒体和带有欺骗性质的“伪专家”社交媒体账号；其次，政府应联合专业机构建立医学传播的分类制度，使受众清楚地认识到公益性医学传播与商业性医学传播的差异，使公众通过合理正确的判断得到对其真正有用的医学信息；再次，政府部门尤其是卫生行政管理部门需要创造一个良好政策环境，应该积极鼓励权威医疗机构及专业医疗工作者参与社交媒体上的医学传播活动，激发更多权威专家积极发声；最后，有序的社交媒体环境能够加速医学传播，政府及专业机构应起到传播过程中“把关人”的作用，建立良好的信息搜集操作指南和医学信息质量指标等，通过提高医学信息的质量来建立公众的认知信任，提高公信力。此外，政府应加强基础的网络建设，缩小社交媒体受众与医学传播受众的年龄断层。

（二）做好社交媒体的平台监督与自我约束

社交媒体环境下，媒体不能只顾眼前的利益，应从长远的方面考虑，更应

该加强媒体自身的传播力与影响力，注重品牌的建设，提升品牌的公信力。从医学传播方面来讲，媒体应加强自我管束，传播有效的、正确的以及有益于普罗大众的医学信息；社交媒体平台的管理员也要定期对虚假信息进行清理，并对用户进行明确的提示。同时社交媒体各大平台应实行网络实名制，增强用户的社会责任感，使其从进行自我约束。

随着时代的发展，传统媒体和新媒体在不断地融合与发展，媒体的形态更加丰富多元，社交媒体的类型愈加多样化，使用人数、时长全面增长，社交媒体在突发社会事件和重大政治事务中凸显其政治价值和力量。社交媒体由于传播环境的复杂性以及传播关系的多元性，对医学传播媒体的从业人员也提出了更高的要求。他们不仅需要掌握传播学的各项规律，在医学知识方面也应有一定的基本功底。医学传播的媒体人应当树立健康的医学理念，为受众传播正确的信息。无论是个人还是组织，作为社交媒体时代的传播主体，都需要增强自身的把关意识，提升自身的责任意识，在遭遇重大医疗事件，或表达对某一医学问题的意见、态度之前，需要对该医学信息有一个全面的了解，注意自己的表达方式以及语言的使用，要掌握好社会责任和表达权利之间的平衡。

（三）提升社交媒体用户的媒介素养与医学素养

新的媒介技术环境下各种社交媒体层出不穷，公众能否有效地使用和解读医学信息，最终还要取决于其自身所具备的知识、技巧和能力。所以社交媒体用户应当适当了解媒介属性，掌握相关的媒介知识，不断加强媒介技术应用，有能力分析、评估、转化各种媒体医学信息，提高对不真实信息的甄别能力和批判能力。无论政府的有效监管还是传播媒介提升传播效果，最重要的是公民要提高其自身素养，做好自己社交媒体信息的“把关人”。医学素养则是指个人获取和理解医学信息，并运用这些信息发现、明确自身健康问题、解决自身健康问题的能力，它包括了 3 方面内容：基本（医学）知识和理念、日常生活和健康干预活动中的医学行为、基本医学技能。有调查结果显示，我国公民特别是 55 岁以上的老年人，因为缺乏获得医学信息的渠道，无法有效理解医学信息，因此不良信息与错误信息乘虚而入。因此，提高社交媒体的用户媒介素养、医学理念以及鉴别有效医学信息的能力，是加强医学信息传播的必要条件。

建立居民医学素养评价指标，并将其纳入社会卫生事业发展规划之中，作为综合反映社会卫生事业发展水平的评价指标，是人人健康诊疗时代的大势所趋。同时，公民医学素养也意味着在自身使用社交媒体的传播过程中，应认真阅读有效的医学信息，不随意传播没有得到证实的医学信息，注意使用科学规范的语言表述，切实履行医学信息的把关职责，对发布、转发、评论的内容肩负起“自查自纠”的职责。这要求社交媒体用户同时具备良好的社会责任和道德水平。在这一方面，政府及有关职能部门应该完善举报制度，对虚假不良的医学信息进行举报，利用公众舆论与监督提升社交媒体环境下的健康传播信息的可信度、有效性与真实性。

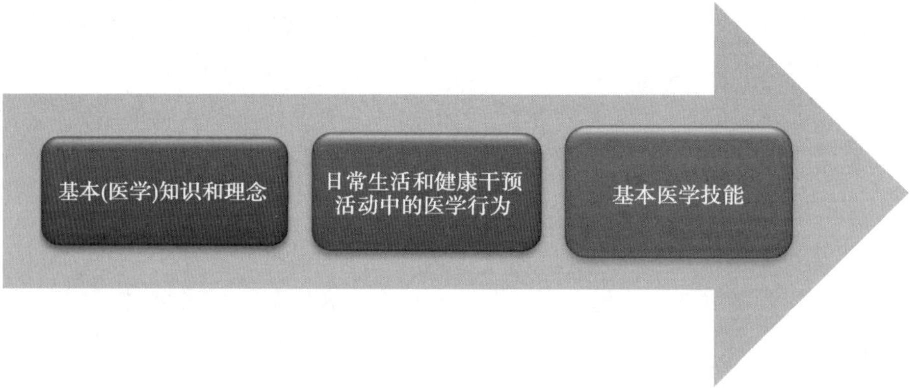

医学素养的内容

（四）建立平等对话、长效沟通的社交媒体传播机制

社交媒体构建的媒介化社会生活，一个重要的表现是社交媒体在社会政治生活中有所作为与担当。但是在网络信息化高速发展的当下，网络灰色地带也在逐渐大范围地进行扩展，并且在扩展的过程中借助了很多新媒体平台，比如说微博、微信等这些社交软件。因此，只有构建一个多元主体共同参与、平等对话与交流的良性媒介生态环境，才能最终提升人们生活质量和健康水平。

当前政府、医疗机构的社交媒体医学传播只起到了“信息公开”作用，在“与民沟通”“为民服务”方面没有建立良好的沟通渠道和服务机制，导致用户关注度低，“黏性”不够，其公信力和社会影响力受限，一旦出现医疗卫生事件、舆情危机或争议话题，再建立临时疏导机制已然于事无补，反而会导致社交媒体用户的极端化表达和对抗解读。比如疫情发生后社会阶段性停摆，网络社交的重要性进一步凸显，媒介化生活成为社会生活的重要方式。社交媒体不仅是信息和舆情的集散地与分发中心，也是民众情绪疏解的“减压阀”，更为全国性抗击疫情提供了同情共振的平台。但同时，社交媒体也在影响甚至绑架着社会生活，来自政府管理层的各种约谈、处罚也直指社交媒体。因此，需要构建由政府主导，以权威医疗机构及医疗工作者为主力军的医学传播社交媒体矩阵，搭建与媒体、公众共同参与，平等对话与交流的社交媒体平台，建立长效机制和应急措施，强化对热点医学新闻传播事件的舆论引导，培养公众的长期信任，净化社交媒体的媒介生态环境。

课后习题

1. 请简述医学传播在社交媒体环境中的特点。
2. 请谈谈你对利用社交媒体进行医学传播实践现状的认识。
3. 请分析当前社交媒体医学传播实践中的主要问题及对策。
4. 对于目前我国社交媒体医学传播实践的现状，请任选角度提出两点建议。

参考文献

[1] 宫贺 . 对话何以成为可能 : 社交媒体情境下中国健康传播研究的路径与挑战 [J]. 国际新闻界 , 2019, 41 (6): 6-25.
[2] 肖珺 , 庞航宇 . 微博自净功能与辟谣模式选择研究 [J]. 现代传播 (中国传媒大学学报), 2012, 34 (8): 138-139.
[3] 陈虹 , 梁俊民 . 新媒体环境下健康传播发展机遇与挑战 [J]. 新闻记者 , 2013, 31 (5): 60-65.
[4] 罗希 , 郭健全 , 魏景赋 . 社交媒体时代科普信息传播的困境与突破 [J]. 科普研究 , 2012, 7 (6): 5-10.
[5] 武楠 . 社交媒体环境下健康传播发展机遇与挑战——以微博为代表展开讨论 [J]. 今传媒 , 2015, 23 (8): 13-15.
[6] 张易昔 . 健康传播在新媒体环境下面临的机遇与挑战 [J]. 新闻传播 , 2018, 328 (7): 7-9.
[7] 袁东登 , 乐嘉宜 , 郁敏杰 , 等 . “微信公众号” 在社区糖尿病管理中的应用效果研究 [J]. 中国全科医学 , 2018, 21 (19): 2353-2356.
[8] 黄力力 . 以新浪微博为平台的健康传播研究 [D]. 内蒙古大学 , 2014.
[9] 贾鹤鹏 , 范敬群 , 彭光芒 . 从公众参与科学视角看微博对科学传播的挑战 [J]. 科普研究 , 2014, 9 (2): 10-17, 32.

[10] 喻国明，路建楠．中国健康传播的研究现状、问题及走向[J]. 当代传播，2011, 27 (1): 12-13, 21.
[11] 李雅婷，基于社交媒体平台的健康传播 [J]. 新媒体研究，2019, 5 (20): 18-20.
[12] 陈森，张一婷，李甲森，等．预防 H7N9 禽流感相关微博的传播者及传播内容研究 [J]. 中国健康教育，2015, 31 (8): 735-737, 746.
[13] 王秀丽，赵雯雯，袁天添．社会化媒体效果测量与评估指标研究综述 [J]. 国际新闻界，2017, 39 (4): 6-24.
[14] 刘雅辉，靳小龙，沈华伟，等．社交媒体中的谣言识别研究综述 [J]. 计算机学报，2018, 41 (7): 1536-1558.
[15] 李利群．健康传播运动中的健康风险信息理论研究 [J]. 现代传播，2005, 28 (3): 117-118.
[16] 詹新惠．社交媒体：提速媒介化社会生活 [J]. 青年记者，2020, 27 (36): 11-12.
[17] 王积龙．健康传播在国际学界研究的格局、路径、理论与趋势 [J]. 上海交通大学学报 (哲学社会科学版), 2011, 19 (1): 51-58.
[18] 胡百精，李由君．互联网与对话伦理 [J]. 当代传播，2015, 31 (5): 6-11.
[19] 胡百精．健康传播观念创新与范式转换——兼论新媒体时代公共传播的困境与解决方案 [J]. 国际新闻界，2012, 34 (6): 6-10, 29.
[20] 新华社．中共中央国务院印发《"健康中国 2030" 规划纲要》[EB/OL].(2016-10-25)[2022-5-20] http://www. gov. cn/zhengce/2016-10/25/content_5124174. htm.
[21] 国家卫生健康委员会．2030 可持续发展中的健康促进上海宣言 [EB/OL].(2016-11-21)[2022-5-20]. http://www. nhc. gov. cn/xcs/hyzl/201611/af0f2620a4a74e9d9e5dc90aebdcbbd6. shtml.
[22] 中国社会科学院新闻与传播研究所、社会科学文献出版社．《传媒蓝皮书：中国传媒产业发展报告 (2021)》[EB/OL].(2021-8-23)[2022-5-20]. http://www. 199it. com/archives/1279606. html.

第十四章 其他场景医学传播实践

课程要求

1. 掌握人生三阶段的概念。
2. 熟悉不同场合的医学传播。

世界卫生组织根据健康教育的侧重点将人的生命过程分为3个阶段，即人生准备阶段，人生保护阶段及晚年生活质量阶段，即所谓的“人生三阶段”概念。针对不同的生命历程，应采取适应该历程特点的健康管理和健康促进措施。在人生准备阶段，即新生儿到成年前，该阶段躯体和机能逐渐成长，同时也是可塑性最高的阶段。若能在此阶段养成健康的生活方式，将受益终身。在这阶段，主要是做好婴幼儿保健、免疫接种、预防意外伤害、饮食和体力活动指导、避免吸烟和饮酒、开展性与心理健康教育等。人生保护阶段即指成年到老年之前。处于这个阶段的人面临较大的健康风险，一是来自职业危害因素；二是来自工作及家庭压力。此阶段主要是消除或控制职业危害因素对健康的影响，进行生活方式管理和心理健康促进等。而在晚年生活质量阶段，正是老年人离开工作岗位、颐养天年的时候，社会角色发生转变，也标志着人的健康与身体机能的全面衰退。因此，老年人的健康促进目标在于，预防或减少疾病带来的影响，提高生活质量，主要涉及日常生活保健、运动指导、心理调适、认知功能评定、用药指导、社会支持等方面。

无论开展何种健康促进和医学传播活动，医学知识的掌握都是必需的。只是在不同的生命历程，涉及的医学知识侧重点不同而已。

一、中小学校园医学传播

儿童和青少年处于求知、发育的起始阶段，是健康生活方式形成的关键时期。学校则是儿童和青少年接受教育、社会化的重要场所。可以说，学生人群是最适宜和最优先接受健康教育的对象。《“健康中国 2030” 规划纲要》提出，要加大学校健康教育的力度。

学校健康教育是对学生进行有组织、有计划、有评价的健康教育活动，培养学生的健康意识，掌握健康知识和技能，使学生自觉采纳健康生活方式，减少或消除影响健康的危险因素，促进学生健康。而学校健康促进是指通过学校、家长和学校所属社区的所有成员的共同努力，给学生提供完整、积极的经验和知识结构，创造安全的学习环境，提供合适的健康服务，让家庭和社区更广泛地参与，共同促进学生健康。

在中小学校园开展医学传播活动，也属于学校健康教育和健康促进的重要内容。如在健康教育类课程教学设计中，可适当增加符合中小学生日常生活和身心健康的专题内容。如学生常见病防治、传染病防治、青春期与性教育、心理健康教育、灾难和突发事件应对、实用急救技巧等。学校也可以加强与医院和社区的联系，如请医生到校园进行健康科普；或动员家长或其他成员参加学校健康促进活动之中；师生亦可参与到一些社区卫生宣传或义工服务。

二、特种作业医学传播

特种作业是指容易发生人员伤亡事故，对操作者本人、他人的生命健康及周围设施的安全可能造成重大危害的作业。常见的特种作业有电工作业、焊接与热切割作业、高处作业、制冷与空调作业、煤矿安全作业、金属非金属矿山安全作业、石油天然气安全作业、冶金（有色）生产安全作业、危险化学品安全作业、烟花爆竹安全作业等。直接从事特种作业的人员称为特种作业人员。

鉴于每种特种作业有着不同的危险因素，可能损害操作人员的安全和健康，因此有必要为特种作业人员提供完善的安全保护措施，包括技术措施、保健措施和组织措施。同时，也应该加强对特种作业人员的职业安全教育，减少意外伤亡。

案例：矿山作业人员的健康风险因素

在矿山作业中，作业人员的健康风险主要来自两方面：一方面是诸如滑倒、坠落、矿洞坍塌等意外事故，尤其是意外事故与自身粗心大意或没有按照规章制度工作等人为因素的关系密切；另一方面主要是职业性有害因素的影响，如生产性粉尘、有害气体、不良气象条件、噪声和振动等。因此，对于矿山作业人员的医学传播，除了传播坠落伤、爆炸伤、烧烫伤、挤压伤、尘肺、窒息、触电、中毒等相当预防措施及自救或急救技能外，更应该加强作业人员的安全意识与责任感。

三、老年医学传播

人口老龄化指总人口中因年轻人口数量减少、年长人口数量增加而导致的老年人口比例相应增长的动态过程。老龄化的影响将包括劳动力减少、基本养老保险总支出增加、医疗和护理资源不足等，最终使社会经济发展严重受限，使国力削弱。老龄化是一个国家或地区发展到一定程度后就会出现的社会现象，对各国而言都是一个棘手的问题。

20 世纪 90 年代以来，中国的老龄化进程加快。65 岁及以上老年人口从 1990 年的 6 299 万增加到 2020 年的 9 064 万，占总人口的比例由 5.57% 上升为 13.50%。预计到 2040 年，65 岁及以上老年人口占总人口的比例将超过 20%。同时，老年人口高龄化趋势日益明显：80 岁及以上高龄老人正以每年 5% 的速度增加，到 2040 年将增加到 7 400 多万人。可以预见，21 世纪前期将是中国人口老龄化发展最快的时期。

中国政府高度重视人口老龄化问题，老年服务事业发展迅速。社区卫生站、托老所、老年活动中心、老年学校、老年休闲广场等老年服务设施逐渐增加，服务老年人的志愿者队伍不断壮大。

为了应对老龄化，帮助老年人尽可能地健康老化是必不可少的。健康老化指进入老年之后在躯体、社会、经济、心理和智力 5 种功能方面，能较长期地保持良好状态。这使得老年期身心健康的时间延长，带病的时间缩短，保持劳动力和参与社会的时间延长，生活不能自理和病残的岁月缩短。

老年医学传播对不同的社会角色有不同的侧重点。如护理和社工人员，主要加强照护技能的培训；而对于老年人及其家属，则要加强老年医学知识科普，包括常见病预防和控制、突发情况（如突然出现心肌梗死或脑卒中）的应对、用药指导、心理健康、认知功能识别、自我保健技能等。

案例：老年健康促进行动

2019 年 7 月 30 日，由国家卫生健康委、全国老龄办主办的老年健康促进行动主题推进活动在京举行，标志着老年健康促进行动正式启动。国家卫生健康委老龄健康司司长王海东指出，老年健康促进行动是一项系统工程，需要政府、社会、个人和家庭的共同努力。各级卫生健康部门要紧密联系相关部门，围绕健康教育、预防保健、疾病诊治、康复护理、长期照护、安宁疗护 6 个环节，努力为老年人提供全方位的健康服务。

会上，北京医院院长王建业发布了《老年失能预防核心信息》，他指出，为增强全社会的失能预防意识，推动失能预防关口前移，降低老年人失能发生率，提高老年人的健康水平，国家卫生健康委组织专家编写《老年失能预防核心信息》，并呼吁全国卫生健康工作者，面向老年人和社会公众应积极宣传《老年失能预防核心信息》，促进全社会关注失能预防，不断降低老年人失能发生率，推动实现健康老龄化，共建共享健康中国。

课后习题

1. 请简述“人生三阶段”与医学传播的关系。

2. 如果你要对某社区 65 岁以上老年人进行口腔健康知识普及，请简述你的活动方案。

参考文献

[1] 老龄健康司 . 老年健康促进行动在京启动 [EB/OL].(2019-07-31)[2022-05-20]. http://www. nhc. gov. cn/lljks/s7786/201907/eab445b93e6446a4b01260346107f543. shtml.

[2] 李玲玲 .2018 年中国人口老龄化现状分析及未来发展趋势预测 [EB/OL].(2018-01-19)[2022-05-20]. https://www. chyxx. com/industry/201801/605554. html? _t=950317b1566230406.

[3] 傅华 . 健康教育学 [M]. 3 版 . 北京 : 人民卫生出版社 , 2017: 21-25.